David Miller

Shipshewana High School

Shipshewana, Indiana.

GERMAN STORIES RETOLD

(Grimms Märchen)

EDITED FOR SCHOOL USE

BY

JAMES R. KERN

AND

MINNA M. KERN

DE PAUW UNIVERSITY

NEW YORK -:- CINCINNATI -:- CHICAGO
AMERICAN BOOK COMPANY

German Stories Retold

E-P 8

INTRODUCTION

THE MÄRCHEN were written by two brothers, Jakob and Wilhelm Grimm. The tales were not original with them. They are the fireside stories of the common people handed down from generation to generation.

The Grimm brothers visited the peasants, had them relate the tales, and then compiled them in a volume entitled *Kinder- und Hausmärchen*, known to English readers as *Grimms' Stories*. The *Märchen* became very popular and have been translated into many languages.

Jakob Ludwig Karl Grimm (1785—1863) and Wilhelm Karl Grimm (1786—1859) were born in Hanau, in Hesse-Nassau. They attended the Hochschule at Marburg and studied law, but spent their lives for the most part as professors and authors, mainly at Göttingen and Berlin.

The elder Grimm was an eminent philologist, while his brother was chiefly interested in editing the classics of the Middle Ages; yet both worked together on the *Märchen* and on the beginning of a *German Dictionary*, one of the most extensive dictionaries of any modern language. Other works of the elder Grimm are his *German Grammar*, his *History of the German Language* and *German Mythology*. An independent work of the younger Grimm is *German Hero Legend*.

In the arrangement of this work, the beginner is looked upon as a child in the language. His reading should be graded for him as it is for children who are learning to read their mother tongue. The best way to do this is to rewrite stories. Fireside tales such as Grimms' furnish such a foundation and readily admit of suitable additions.

In the first few stories the sentences are simple and short; common words and expressions are used until the learner grows accustomed to the natural flow of the language. New words, new expressions and longer sentences have been introduced as gradually as possible. In this way the beginner can easily do a large amount of reading.

As an aid to fix the language more firmly in the memory and to cultivate conversation and narration, questions are given on each story. The answer to each question should be a complete sentence. The aim is to help the learner to make a practical use of what he is learning. In this way come acquisition and ability.

It has been deemed advisable to include two of the less difficult stories unchanged. They are *Frau Holle* and *Der Zaunkönig und der Bär*. The authors' pleasing style will doubtless be much enjoyed.

The vocabulary has been made complete and contains all the assistance needed for an intelligent interpretation of the text, thus making a formal body of notes unnecessary.

CONTENTS

I. Der süße Brei

Es war einmal ein kleines Mädchen. Es hatte keinen Vater. Es hatte nur eine Mutter. Die Mutter war Witwe, eine arme Witwe. Doch hatten sie eine Wohnung, ein kleines Haus. Sie hatten auch Kleidung, aber keine schöne Kleidung. Sie waren also arm, sehr arm, und jetzt hatten sie nichts mehr zu essen.

Sie wohnten in einer kleinen Stadt. Nahe bei der Stadt war ein großer Wald. Das Haus stand nahe bei dem Walde. Es war im Frühling. Alles im Walde war schön. Ja, der schöne Frühling war wieder da, aber die Mutter hatte kein Brot mehr im Hause. Sie hatte zwar einen kleinen Garten, aber kein Gemüse stand darin. Und die kleine Tochter war hungrig, so hungrig. Auch die Mutter war sehr hungrig. Sie war auch sehr unglücklich.

Eines Tages ging das Mädchen in den Wald. Da spielte es oft. Da vergaß es den Hunger. Und heute war es sehr glücklich. Es spielte, es lief, es ging weiter in den Wald hinein. Auf einmal sah es eine alte Frau. Sie begrüßte das Kind freundlich. Sie wußte schon von seinem Hunger. Da gab sie ihm ein Töpfchen. Das Mädchen brauchte nur zu sagen: „Töpfchen, koche!“ dann kochte es süßen Brei; und wenn es sagte: „Töpfchen, steh’,“ so kochte es nicht mehr.

Das Mädchen nahm das Töpfchen und dankte der guten Frau. Jetzt war es recht glücklich. Es lief schnell nach Hause und erzählte der Mutter alles. Die Mutter war auch recht glücklich. Aber Mutter und Tochter waren beide
5 hungrig. Da sagte das Mädchen: „Töpfchen, koche!“. Es kochte süßen Brei. Sie aßen und tranken den Brei. Endlich sagte das Mädchen: „Ich bin satt!“ Bald sagte auch die Mutter: „Ich bin satt.“ Da sprach das Mädchen: „Töpfchen, steh'!“ da kochte es nicht mehr. Jetzt waren
10 sie beide sehr glücklich. Sie wurden nicht mehr hungrig. Sie hatten dreimal täglich guten, süßen Brei. Das Mädchen war am glücklichsten. Von nun an ging es jeden Tag in den Wald. Es wollte noch einmal die gute Frau sehen. Auch die Mutter ging öfters hin.
15 Aber sie sahen die alte Frau nie wieder.

Eines Tages ging das Mädchen wieder allein in den Wald. Aber es war traurig, sehr traurig. Es wollte die gute, alte Frau wiedersehen. Es blieb lange, lange da. Es kam die Zeit zum Essen, aber das Mädchen blieb doch
20 noch länger im Walde, es ging nicht nach Hause. Die Mutter wurde müde und sehr hungrig. Da sagte sie: „Das Kind kommt nicht. Ich bin hungrig. Töpfchen, koche!“ Dann kochte es den süßen Brei. Die Mutter aß und trank und sagte bald darauf: „Ich bin satt.“ Sie
25 sagte zu dem Töpfchen: „Töpfchen, ich bin satt!“ Aber das Töpfchen kochte weiter. Es hörte die Mutter nicht. Sie hatte das Wort „steh'!“ vergessen, und deshalb kochte das Töpfchen immer fort. Es kochte schneller und schneller. Es füllte die Küche mit Brei. Es füllte bald die

anderen Zimmer, das ganze Haus. Der Brei lief aus dem Hause in die Stadt. Er füllte die Straßen und die anderen Häuser. Das war schrecklich.

Jetzt kam das Mädchen zurück. Es sah den Brei. Es sah die Mutter auf dem Dache, die Leute auf den Dächern. Da sagte es: „Töpfchen, steh'!" Da stand es und kochte nicht mehr. Aber das Kind weinte und sagte: „Das ist schrecklich. Ich kann nicht in die Stadt kommen. Man kann nicht durch die Stadt gehen. Man muß sich durchessen. Das ist noch schrecklicher!"

II. Der alte Großvater

Es war einmal ein alter Großvater. Er war sehr alt und schwach. Er konnte kaum gehen. Er konnte nicht hören und konnte kaum sehen. Seine Augen waren trüb, seine Ohren taub; auch seine Glieder waren sehr schwach. Die Hände und Kniee zitterten ihm.

Seine Frau war schon lange tot. Er selbst wohnte bei einem Sohne, bei dem jüngsten Sohne. Das steht nun nicht in dem Märchen. Das kann man aber annehmen.

Der Sohn hatte eine Frau und nur ein Kind. Dies war ein Knabe von vier Jahren. Er war also der Enkel des Großvaters.

Der Großvater war schwach, einsam und lebensmüde. Der Sohn und seine Frau waren nicht gut zu ihm; nein, sie waren oftmals recht ungeduldig mit ihm. Ein warmer Winkel im Winter ist ja recht angenehm. Hatte der arme Alte einen warmen Winkel? Das wollen wir bald sehen.

Eines Tages saß die Familie bei Tische. Der Großvater hatte Suppe zu essen. Seine Hand zitterte. Er verschüttete die Suppe auf das Tischtuch. Das machte die Frau seines Sohnes ärgerlich. Sie schalt. Der Großvater sagte nichts. Er seufzte und wurde traurig. Jetzt konnte er den Löffel nicht mehr festhalten, er ließ ihn fallen. Das verdroß die Frau noch mehr. Sie schalt heftiger. Sie sagte zornig: „Du bist immer so schmutzig. Du darfst nicht mehr mit uns essen. Du kannst hinter dem Ofen sitzen, da sollst du allein essen."

Und da saß er nun, einsam und traurig. Da aß er aus einer alten, irdenen Schüssel. Man bekümmerte sich nicht mehr um ihn. Er bekam nicht viel zu essen. Ja, oft wurde er nicht satt. Aber er sagte nichts. Er dachte nur. Er seufzte und sah nach dem Tische hinüber.

Eines Tages war er sehr schwach. Die Hände zitterten ihm heftig. Er konnte die Schüssel nicht festhalten. Sie fiel auf den Fußboden und zerbrach. Sein Essen lag nun auch da. Die Frau schalt heftig und sagte zornig: „Du bist immer so nachlässig. Nun kannst du von dem Boden essen. Morgen sollst du eine hölzerne Schüssel haben. Die zerbrichst du nicht."

Die Frau kaufte ihm am nächsten Tage eine hölzerne Schüssel. Da saß er nun in seinem warmen Winkel und aß mit den Fingern aus der Schüssel. Sohn und

Frau behandelten ihn wie ein Tier. Er aß aus einem Trog. Man kann die Schüssel so nennen. Warum?

Eines Tages saßen die Eltern allein bei Tische. Ihr kleiner Sohn spielte auf dem Fußboden. Er machte etwas aus Brettchen und hämmerte fleißig darauf los. Zuletzt fragte der Vater lachend: „Mein Sohn, was machst du denn da?“ „Ich mache ein Tröglein,“ antwortete er. „Ein Tröglein,“ sprach der Vater erstaunt, „Was willst du denn mit einem Tröglein?“ „Ich mache es für euch,“ antwortete das Kind. „Ich werde bald groß, dann sollt ihr aus dem Troge essen.“ Das Kind hatte verstanden, daß der Großvater aus einem Tröglein essen mußte.

Da sah der Vater die Mutter an. Die Mutter sah den Vater an. Dann sahen beide nach dem alten Großvater hinüber und mußten weinen. Sie waren so beschämt. Sie holten nun den alten Großvater aus der Ecke hinter dem Ofen hervor und setzten ihn an den Tisch. Sie gaben ihm gutes Essen. Sie wurden freundlicher zu ihm, und das machte ihn wieder glücklich. Endlich fand er einen warmen Winkel in dem Herzen seiner Kinder.

III. Die drei Faulen

Ein König hatte drei Söhne. Der erste Sohn war ziemlich faul. Der zweite war noch fauler. Der dritte war der faulste von allen. Wie kam das? Das erzählt uns das Märchen wie folgt:

Der König war schon sehr alt. Er war auch sehr krank. Er lag im Sterben. Da saßen die drei Söhne an seinem Bette. Der König hatte sie alle gleich lieb. Aber nur einer von ihnen konnte König werden. Nur einer von ihnen konnte das Reich bekommen. Der König konnte keinen von ihnen zum König ernennen. Darum sprach er zu seinen drei Söhnen: „Kinder, ich bin krank, totkrank. Ich liege im Sterben. Ich habe euch alle gleich lieb. Ich kann darum keinen von euch zum König ernennen. Ihr müßt mir helfen. Der faulste von euch soll König werden. Er soll mein Reich bekommen."

Da sagte der älteste Sohn: „Vater, ich bin sehr faul. Ich bin immer schläfrig. Wenn ich zu Bett gehe, mache ich nicht die Augen zu, weil ich zu faul dazu bin. Dann fallen mir Tropfen Wasser in die Augen. Ich halte die Augen trotzdem offen. So bleibe ich liegen. Ich bin so faul. Ich bin der faulste. Das Reich ist mein. Ich bin König."

Der zweite Sohn aber sprach: „Nein, Vater, ich bin der faulste. Das Reich gehört mir. Es friert mich oft. Ich gehe ans Feuer. Ich lege mich beim Feuer nieder und wärme mich. Das Feuer wird recht heiß. Es wird mir viel zu heiß. Dann brennen mir die Fersen. Ich gehe doch nicht fort. Die Fersen braten. Ich bleibe doch da. Ich gehe nicht weg. Ich bin zu faul. Der Bruder ist zwar faul, ich bin aber doch noch fauler. Ich bin der faulste. Das Reich gehört mir."

Der jüngste sagte: „Lieber Vater, die Brüder sind

nicht faul. Die sind vielmehr recht fleißig. Ich bin der faulste. Ich stehle oft. Man will mich darum hängen. Der Strick ist schon um meinen Hals. Man zieht am Strick. Ein Mann gibt mir dann ein Messer in die Hand. Die Hände sind auf meinem Rücken. Der Mann sagt: „Schneide den Strick durch.“ Ich aber halte das Messer in der Hand. Ich schneide nicht. Man zieht mich in die Höhe. Ich stehe jetzt auf den Zehen. Immer weiter gehe ich in die Höhe. Ich halte das Messer noch in der Hand. Ich schneide nicht, weil ich allzu faul bin. Ich bin bei weitem der faulste. Das Reich gehört mir.“

„Ja,“ sprach jetzt der sterbende König, „ihr habt mir geholfen. Der jüngste ist wirklich der faulste. Er soll König werden.“

So ist es in der Welt. Der jüngste ist oft der faulste.

IV. Die drei Fragen

Es war einmal ein Mann, der hatte einen Sohn. Dies war ein Büblein, ein kleiner Junge. Der Mann war Hirt und hatte viele Schafe. Der Knabe hütete die Schafe für den Vater. Das Büblein hieß darum ein Hirtenbüblein. Darum heißt auch das Märchen „das Hirtenbüblein.“

Der Junge war sehr klug und oft stellten die Leute ihm schwere Fragen. Er konnte die Fragen immer beantworten. Darum wurde er weit und breit berühmt und hieß deshalb „das kluge Hirtenbüblein.“

Der König des Landes hörte auch von ihm. Er wollte das Büblein sehen und selbst seine weisen Antworten hören. Er glaubte nicht alles und ließ das Büblein kommen. Der König hatte drei schwere Fragen für ihn
5 und wollte eine weise Antwort darauf haben. Deshalb sprach er zu dem Büblein: „Mein Sohn, man sagt, du bist sehr klug. Gib mir Antwort auf meine drei Fragen, dann sollst du mein Sohn werden."

Das Büblein antwortete einfach: „Welches sind die
10 drei Fragen?" Da sagte der König: „Die erste lautet: wie viele Tropfen Wasser sind in dem Meer?" Das Büblein antwortete: „Herr König, laßt erst alle Flüsse verstopfen, die in das Meer fließen; danach will ich die Tropfen zählen und euch sagen, wie viele Tropfen in dem
15 Meere sind."

Der König sagte nichts dazu als: „Die zweite Frage lautet: wie viele Sterne stehen am Himmel?" Das Hirtenbüblein bat um einen Bogen weißes Papier. Er bat auch um Tinte und Feder. Er machte nun viele
20 Punkte. Sie bedeckten den ganzen Bogen und waren also sehr zahlreich; deshalb konnte man sie nicht zählen. Dann gab er dem König den Bogen. Er sagte zu dem König: „Zählt die Punkte hier auf dem Papier! Ebenso viele Sterne stehen am Himmel."

25 Aber niemand konnte die Punkte zählen. Die Punkte und die Sterne waren beide zu zahlreich.

Der König hatte wieder nichts dazu zu sagen und stellte die dritte Frage: „Wie viele Sekunden hat die Ewigkeit?" Das Hirtenbüblein antwortete: „Es liegt in einem Lande ein hoher Diamantenberg, der ist fünf Meilen hoch, fünf Meilen breit und fünf Meilen tief. Dahin kommt nun alle hundert Jahre ein kleiner Vogel. Er wetzt den Schnabel an dem Berge. Wann wird er den Berg abgewetzt haben? Sagt mir das. Dann ist die erste Sekunde der Ewigkeit vorbei."

Die letzte Antwort war die beste. Der König war damit ganz zufrieden. Er sprach zu dem Hirtenknaben: „Von nun an will ich dich wie mein eigenes Kind halten."

V. Der Nagel

Ich höre wohl jemand fragen: „Was für ein Nagel war das?" — Es war einmal ein Kaufmann, der hatte ein Roß. Im Englischen sagt man nun: „Das Pferd hat Schuhe an den Füßen." Im Deutschen dagegen heißt es: „Das Pferd hat Hufeisen." Schuhe sind von Leder. Das Pferd hat Eisen unter den Hufen, darum heißen sie „Hufeisen." In einem Hufeisen sind mehrere Nägel. Das Märchen erzählt von einem Hufeisennagel.

Ein Kaufmann war auf der Heimreise, auf der Reise nach Hause. Er war in einer fremden Stadt auf einer großen Messe gewesen. Er hatte viele Waren dahin gebracht und hatte alles verkauft. Er bekam dafür viel Gold und Silber und packte das Geld in seinen Mantel-sack. Er nahm den Sack mit auf sein Roß und verließ die Stadt. Er ritt eilig fort. Woran dachte er wohl? Er dachte: „Ich muß vor Einbruch der Nacht zu Hause sein.“ Seine eigene Stadt lag zehn Stunden, etwa fünfzig englische Meilen entfernt. Es war spät am 5 Morgen und er mußte eilen. Er hatte viel Geld in seinem Sack und wollte daher sehr gern vor Einbruch der Nacht zu Hause sein.

Gegen Mittag kam er in eine Stadt. Er sagte zu sich: „Ich muß zu Mittag rasten. Ich muß das Roß 10 tränken und füttern lassen. Ich muß auch etwas zu trinken und zu essen haben. Wir sind alle beide hungrig und müde. Dort ist eine Wirtschaft. Ich will hinein gehen.“

Bald nach dem Essen wollte er sein Pferd haben. Da 15 kam der Hausknecht in die Stube und sagte: „Herr, euer Roß hat einen Nagel verloren. Am linken Hufeisen fehlt ein Nagel. Soll ich das Roß zum Schmied führen?“

„Nein,“ sprach der Kaufmann, „ich habe Eile. Laß 20 den Nagel fehlen. Das Eisen wird gewiß noch halten. Ich muß vor Einbruch der Nacht zu Hause sein. Hol' sogleich das Roß.“

Da brachte der Knecht das Pferd. Der Kaufmann schwang sich schnell hinauf und ritt eilig fort. Woran 25 dachte er nun wohl? Er dachte an sein Geld und bald vergaß er den verlorenen Nagel.

Der Weg wurde ihm lang. Er sah oft nach der Sonne und dachte: „Ich muß eilen. Ich muß vor Einbruch der Nacht zu Hause sein.“

Spät am Nachmittag kam er wieder in eine Stadt. Sein Pferd hatte das Hufeisen verloren, aber der Kaufmann wußte es nicht.

Trotzdem er keine Zeit hatte, ging er doch in die Wirtschaft des Ortes und ruhte sich aus. Das Roß bekam Trank und Futter; auch der Herr aß sein Abendbrot. Er rastete aber nicht lange.

Als er weiter wollte, kam der Knecht herein und sagte zu ihm: „Herr, euer Roß hat ein Eisen verloren. Am linken Hinterfuße fehlt ein Hufeisen. Soll ich das Pferd zum Schmied führen?"

„Nein," sprach der Kaufmann, „ich muß fort. Die paar Stunden wird es wohl noch aushalten. Ich habe Eile."

„Eile mit Weile, Herr," antwortete der Knecht. Er führte aber das Roß vor, der Kaufmann schwang sich hinauf und ritt eilig fort.

Er ritt aber nicht lange, da begann das Pferd zu hinken. Es hinkte nicht lange. Bald begann es zu stolpern. Aber es stolperte nicht lange. Bald fiel es nieder und brach ein Bein. Nun mußte der Kaufmann seinen Mantelsack auf die Schulter nehmen und zu Fuß nach Hause gehen.

Er kam erst spät in der Nacht an. Nun sagte er zu sich selbst: „Der Knecht hatte doch recht. Ich hatte aber so große Eile. Das arme Roß! Der verwünschte Nagel! Ich mußte vor Einbruch der Nacht zu Hause sein."

„Eile mit Weile."

VI. Das kluge Gretel

Ein Mann hatte eine Köchin, die sehr klug war. Sie hieß Gretel, war fröhlich und trug Schuhe mit roten Absätzen. Wenn sie ausging, war es ihr eine
5 Freude, sich auf den roten Absätzen hin und her zu drehen. Sie dachte dabei: „Ich bin doch ein schönes Mädel. Ich habe Schuhe mit roten Absätzen, die mir so hübsch passen." Sie hatte auch Lust zum Essen und Trinken. Zu Hause probierte sie darum alles. „Die
10 Köchin muß wissen, ob es schmeckt," wiederholte sie oftmals dabei.

Eines Tages erwartete der Herr einen Gast. Darum sprach er zu Gretel: „Gretel, heute abend kommt ein Gast zum Essen. Bereite uns zwei gut gebratene
15 Hühner." „Das will ich schon machen," erwiderte Gretel. Sie tat es willig. Gutes Essen und gutes Trinken hatte Gretel immer, wenn Gäste im Hause waren, und das war dem Herrn sehr angenehm. Gretel machte das alles sehr schön; bald waren die Hühner braun und
20 gar. Der Gast aber war noch nicht da. „Der sollte bald hier sein," sprach Gretel. „Er kommt nicht. Es ist jammerschade. Ich muß die Hühner vom Feuer nehmen. Dann schmecken sie allerdings nicht gut." „So," sagte der Herr, „dann muß ich den Gast holen.
25 Vielleicht treffe ich ihn unterwegs. Halte das Essen warm."

Sobald der Herr das Haus verließ, eilte Gretel hinunter

in den Keller. Sie sagte beim Gehen zu sich selbst: „Ich war so lange da beim Feuer, bin müde und durstig und muß einen Schluck Wein haben.“ Sie füllte den Krug aus dem Faß, setzte ihn an den Mund und tat einen guten Zug. Der Wein schmeckte ihr. Sie konnte gar nicht aufhören. Sie tat noch einen guten Zug. Dann ging sie wieder hinauf und setzte die Hühner wieder aufs Feuer. „Die riechen doch gut,“ sprach sie; „ob der Herr bald kommt? Ich will ans Fenster laufen und hinausschauen. Schade, daß noch niemand kommt. Muß wieder in die Küche, sonst verbrennen die Hühner.“

Sie ging wieder in die Küche, bestrich die Hühner mit Butter und wartete. „Sünd' und Schand', daß der Herr mit dem Gast nicht kommt,“ sagte sie, „die Hühner riechen jetzt so gut. Ich will noch 'mal hinaussehen. Nein, sie kommen noch nicht. Vielleicht kommen sie gar nicht zum Essen. Muß wieder rasch in die Küche. Schade! Es verbrennt ein Flügel. Was soll ich tun! Ich weiß, was ich tun muß. Die Köchin muß das Essen probieren. Ich schneide den Flügel ab und esse ihn auf. Ah! der schmeckt aber. Der andere sieht jetzt so verlassen aus. Der Herr wird ihn bemerken. Ich muß den anderen auch aufessen.“

Da schnitt sie den andern Flügel auch ab, aß ihn auf und wartete dann. Sie wartete aber nicht lange; noch einmal lief sie zum Fenster, aber sie sah niemand. Was sollte sie nur tun? „Vielleicht bleibt der Herr über Mittag fort,“ dachte sie. „Sünd' und Schand', die Hühner werden verderben. Das darf nicht geschehen. Ich will das eine aufessen. Aber erst muß ich noch einen guten Trunk haben."

Darauf eilte sie wieder in den Keller hinab und tat 5 einen guten Zug. „Das macht Appetit," sprach sie fröhlich, lief schnell in die Küche zurück und aß das eine ganze Huhn auf. „Gottesgaben sollen nicht verderben," sagte sie; „jetzt liegt aber das andere Huhn so einsam da, und doch gehören die Hühner zusammen. Ich will dieses auch 10 aufessen. Es wird mir wohl nicht schaden. Ich weiß, was ich tue. Wein macht Appetit. Ich will wieder in den Keller."

Gesagt, getan. Sie blieb aber nicht lange da. Die Lust zum Essen war schon wieder da. Sie lief eilig 15 hinauf und setzte sich vor das andere Huhn. Aber, o weh! sie war gerade mitten im besten Essen, da kam der Herr zurück. „Sünd' und Schand'," dachte sie, „bin ja mitten im besten Essen und muß aufhören. Will geschwind die Sachen verstecken."

20 Da kam der Herr in die Küche. „Eile, Gretel," sagte er, „der Gast kommt schon." „Ganz recht, Herr," antwortete Gretel, „der Tisch ist bereits gedeckt." Dann nahm der Herr das große Messer und wetzte es auf dem Gange. Bald aber klopfte jemand an die Tür und 25 Gretel lief und öffnete. Da stand nun der späte Gast und verbeugte sich recht höflich, allein Gretel begrüßte ihn so: „Pst! hört ihr den Herrn? Er wetzt in der Halle das große Messer. Er will euch die Ohren abschneiden. Darum wollte er euch so gern zu diesem späten

Abendessen hier haben. Seht doch, daß ihr geschwind fortkommt. Geschwind! der Herr kommt."

Der Gast machte rasch kehrt. Auch Gretel lief schnell zum Herrn und schrie: „Ach, Herr, das war ein schöner Gast. Er hat mir die zwei gebratenen Hühner weggenommen und ist damit fortgelaufen. Kommt geschwind. Dort läuft er."

„Das ist eine nette Geschichte," sprach der Herr, „ich muß ihm nach. Ich muß wenigstens eins der Hühner haben." Dann lief er mit dem Messer in der Hand dem Gast nach und rief: „Nur eins, nur eins! Bitte, ich muß eins haben." Allein der Gast wartete gar nicht. Er lief als ob Feuer hinter ihm wäre und brachte so seine beiden Ohren sicher nach Hause.

VII. Dornröschen

Es waren einmal ein König und eine Königin, die hatten eine wunderschöne Tochter. Es war ihr einziges Kind und hieß Dornröschen. Lange hatten sie sich ein Kind gewünscht, allein sie bekamen keines. Eines Tages aber war die Königin beim Baden. Da kroch ein Frosch aus dem Wasser heraus und sprach zu ihr also: „Dein Wunsch wird dir in Erfüllung gehen; du sollst ein Kind haben. In einem Jahre wirst du eine Tochter zur Welt bringen."

Man darf wohl annehmen, daß der König und die

Königin sehr froh und glücklich waren, als sie erfuhren, daß der Frosch die Wahrheit gesprochen hatte. Nach einem Jahre gebar die Königin ein Mädchen, das wunderschön war. Der König freute sich sehr über das 5 kleine Kind und veranstaltete ein großes Fest für seine Verwandten, Freunde und Bekannten.

Es waren nun dreizehn weise Frauen im Reiche. Auch diese wollte er zum Fest einladen. Sie sollten seine kleine Tochter mit ihren guten Gaben beschenken. Eine der 10 Weisen war aber nicht da. Der König hatte nämlich nur zwölf goldene Teller für die weisen Frauen, deshalb mußte die eine zu Hause bleiben. Die Wundergaben der weisen Frauen waren nun die Tugend, die Schönheit, der Reichtum, kurzum alles Gute und Schöne, 15 was es nur auf der Welt gibt. Das Fest ward aber dem Kinde zum Unglück. Mitten im Feste teilten die weisen Frauen ihre Wundergaben an das Kind aus. Elf hatten schon gesprochen. Alles war still und es herrschte große Freude. Da trat auf einmal die drei- 20 zehnte herein. Sie grüßte niemand, denn sie war zornig, und sprach einen bösen Wunsch über das unschuldige Kind aus. Der lautete so: „In deinem fünfzehnten Jahre sollst du dich an einer Spindel stechen und daran sterben.“ Die böse Hexe sagte weiter nichts. Sie 25 verließ schnell den Ort.

Der König und die Königin erschraken sehr. Da trat die letzte Frau vor, die ihren Wunsch noch nicht gesprochen hatte und sagte: „Ich kann den bösen Wunsch nicht aufheben, aber ich kann ihn doch mildern. Das

Kind soll nicht sterben, es soll nur hundert Jahre schlafen." Der König wollte dieses Unglück verhüten und ließ den Befehl ergehen, man sollte alle Spindeln im ganzen Reiche verbrennen. Das schöne Kind wuchs indessen heran, freundlich, sittsam und verständig, so daß alle, die es ansahen, es lieb haben mußten.

Die Zeit des fünfzehnten Geburtstages nahte. Die Eltern hatten wohl den bösen Spruch vergessen, denn an diesem Tage waren die beiden von Hause abwesend, während die Tochter daheim blieb. Spielend ging sie durch alle Stuben und Kammern des Schlosses und kam endlich gegen Abend an einen alten Turm. Sie ging die Treppe hinauf und erreichte die Tür zu einem Stübchen. Sie öffnete und trat hinein. Wunderbar! Da saß eine alte Frau und arbeitete. Die Arbeit kam dem Mädchen sehr seltsam und wunderlich vor. Darum sagte es: „Guten Abend, altes Mütterchen, was machst du da? Was für ein Ding ist das? Es dreht sich so lustig herum. Das ist ja ein schönes Spielzeug."

„Ich spinne," antwortete die Alte, „spinnst du auch gern?" und dabei nickte sie dem Mädchen sehr freundlich zu. „Ich habe noch nicht einmal davon gehört," sprach das Mädchen, indem es die Spindel in die Hand nahm und spinnen wollte. Es stach sich aber damit in die Hand und schlief sofort ein.

Das war nun ein seltsamer hundertjähriger Schlaf. Alles schlief ein. Der König und die Königin waren eben zurückgekehrt. Der König schlief auf dem Sofa ein, die Königin in dem Schaukelstuhl. Ja, der ganze Hofstaat schlief, auch der Kutscher, der Koch und der Küchenjunge. Der Koch war gerade sehr zornig. Er wollte den Küchenjungen, weil er ein Versehen gemacht hatte, an den Haaren ziehen. Er mußte das aber unterlassen, denn er schlief ein. Selbst das Feuer flackerte nicht mehr, es schlief ein. Auch die Fliegen an der Wand wurden still. Den Kopf unter den Flügel gesteckt, saßen die Tauben ruhig auf dem Dache und schliefen ein. Die Pferde im Stalle, die Hunde im Hofe, die Katzen am Herde, alles wurde still und schlief ein. Selbst der Wind regte sich nicht mehr.

Nun begann eine Hecke um das Schloß zu wachsen, eine Hecke von Dornen. Sie wuchs immer höher und breiter und dichter. Man konnte nicht hindurchgehen, nicht hindurchsehen; nicht einmal die Fahne auf dem Turme des Schlosses konnte man wahrnehmen.

Viele Königssöhne versuchten durch die Hecke zu dringen, aber sie blieben darin hängen und mußten sterben. Und die Kunde davon verbreitete sich über entfernte Länder.

Nach vielen, vielen Jahren kam ein Königssohn in diese Gegend. Er hörte einen alten Mann von Dornröschen erzählen. Der Prinz hatte vergessen, daß sein Großvater ihm schon als Kind von dem Dornröschen erzählt hatte. Darum sagte er zu dem Alten: „Erzählt mir das Märchen.“ „Märchen,“ erwiderte der Alte. „Das ist kein Märchen. Es ist alles wahr,“ und er erzählte die Geschichte von der schlafenden Königstochter. Da sprach der Prinz: „Ich will versuchen, durch die Dornenhecke in das Schloß zu dringen. Ich will Dornröschen erwecken und befreien. Wer nicht wagt, gewinnt nicht."

Der Alte erschrak, doch er versuchte umsonst, den Prinzen von dem Vorhaben abzubringen. Entschlossen ging dieser zur Dornenhecke, die jetzt voll lauter großer, schöner Blumen war. Der Prinz ging (wunderbarer Weise) leicht hindurch, denn die Blumenhecke öffnete sich von selbst und schloß sich wieder zu. Er sah die Schläfer, ging allerorten umher, fand aber Dornröschen nirgends. Endlich kam er an den Turm, stieg hinauf, sah die Tür und öffnete sie. Da fand er ein schönes Mädchen auf dem Bette schlafend. Es war so schön, daß der Prinz es küssen mußte. Der Kuß weckte das schöne Mädchen und damit hatte er es erlöst und den König, die Königin und den ganzen Hofstaat dazu. Jetzt waren alle froh und feierten das Hochzeitsfest, denn der Prinz heiratete das schöne Dornröschen noch an demselben Tage.

VIII. Die drei Männlein im Walde

Es war einmal ein Witwer; der hatte nur ein einziges Kind. Es war auch eine Witwe, die auch nur ein einziges Kind hatte. Beide Kinder waren Mädchen. Des Mannes Tochter war schön und lieblich, aber die Tochter der Frau war häßlich nnd widerlich.

Die Töchter waren miteinander bekannt. Sie spielten zusammen oder gingen spazieren. Eines Tages gingen sie auch zusammen fort und kamen in das Haus der Witwe. Diese war sehr freundlich gegen des Mannes Tochter. Endlich sagte sie zu ihr: „Hör', meine Tochter, sag' deinem Vater, daß ich ihn heiraten will. Ich bin einsam, und er braucht eine Frau. Warum denn nicht heiraten? Du und meine Tochter seid Spielkameradinnen. Dann könntet ihr beide schön spielen. Jeden Morgen sollst du Milch zum Waschen und Wein zum Trinken haben. Aber meine Tochter soll Wasser zum Waschen und Wasser zum Trinken haben. Bitte, sag' das deinem Vater."

Des Mannes Tochter war beschämt, weil sie so bescheiden war. Sie konnte nur „ja, ja" darauf antworten. Als sie wieder nach Hause kam, erzählte sie dem Vater alles. Dieser sprach: „Es ist wahr, ich fühle mich einsam. Das Heiraten ist zwar eine Freude, aber es ist auch eine Qual. Mit deiner Mutter, liebe Tochter, war es eine Freude. Ich weiß nicht, was ich antworten soll. Mir fällt etwas ein. Da, Kind, ist ein alter Stiefel, der hat ein kleines Loch in der Sohle. Trage den Stiefel hinauf auf den Boden. Hänge ihn an den großen Nagel; dann gieße Wasser hinein. Läuft das Wasser durch, so will ich nicht wieder heiraten; hält aber der Stiefel das Wasser, so will ich wieder freien."

Das tat das gehorsame Kind. Das Wasser blieb im Stiefel. Das Kind erzählte dem Vater davon. Dieser ging selbst hinauf und sah den Stiefel voll Wasser. Der

Vater war damit zufrieden. Er besuchte die Witwe und die Hochzeit folgte bald darauf.

Am Tage nach der Hochzeit hatte des Mannes Tochter Milch zum Waschen und Wein zum Trinken. Die andere Tochter hatte nur Wasser. Am zweiten Morgen aber hatten sie beide Wasser. Am dritten jedoch hatte des Mannes Tochter Wasser und die Tochter der Frau Milch und Wein und dabei blieb es.

Die Stiefmutter ward neidisch, weil die Stieftochter so schön und so lieblich, während ihre rechte Tochter so häßlich und widerlich war. Der Tochter des Mannes erging es deshalb jeden Tag schlimmer.

Das dauerte bis in den Winter hinein. Es war nun recht kalt und der Schnee lag weit und breit über Berg und Tal. Eines Tages machte die Mutter ein Papierkleid. Dann rief sie die Stieftochter zu sich und sprach: „Zieh' deine Kleider aus und zieh' dieses Kleid an. Nimm dieses Körbchen, geh' hinaus in den Wald, und suche Erdbeeren. Ich habe Verlangen danach. Bringe das Körbchen voll zurück. Hier ist dein Frühstück," und sie gab ihr ein Stück trockenes Brot in die Hand. Da sagte die Stieftochter: „Ach, ein Papierkleid! Erdbeeren suchen! Es gibt ja im Winter keine Erdbeeren. Es liegt weit und breit nichts als Schnee und Eis. Mich wird frieren. Bitte, bitte, schicke mich nicht so in die Kälte hinaus!"

Die Stiefmutter blieb aber steinhart. Die Stieftochter mußte daher gehorchen. Sie zog das Papierkleid an, nahm das Körbchen auf den Arm, und ging hinaus in den Wald. Sie zitterte vor Kälte. Ringsum lag nichts als Schnee und Eis. Als sie in den Wald kam, sah sie ein kleines Haus. Am Fenster sah sie drei kleine Männer, nickte ihnen „guten Morgen“ zu und weil sie so sehr fror, klopfte sie an die Tür. Die Kleinen öffneten ihr und ließen sie herein. Dann setzte sie sich auf die Bank am Ofen und wärmte sich. So saß sie und aß ihr Frühstück. Die Männlein aber waren auch hungrig und baten um etwas Brot. Das Mädchen teilte das Brot mit ihnen. Dann fragte eines der Männlein: „Wo kommst du her? Was machst du draußen in einem so dünnen Kleid?“

Da antwortete das Mädchen traurig: „Ich habe daheim eine Stiefmutter. Sie machte das Kleid. Ich muß es tragen. Sie verlangt Erdbeeren. Ich darf nicht eher nach Hause kommen, als bis ich dies Körbchen voll Erdbeeren gefunden habe.“

Ein Männlein sprach: „Kind, kehre uns den Schnee weg draußen vor der Hintertür. Hier hast du einen Besen,“ und er gab dem Mägdlein einen in die Hand. Das Mägdlein nahm den Besen, ging hinaus und kehrte fleißig. Aber was war da unter dem Schnee? Es waren lauter große, rote, reife Erdbeeren. Freudig pflückte das Mädchen das Körbchen voll, dankte den Männlein und eilte nach Hause.

„Das ist ein artiges Kind,“ sprach das eine Männlein, „was wollen wir ihm wünschen?“ Das eine wünschte: „Es soll jeden Tag schöner werden.“ Das andere: „Jedes Wort, das es ausspricht, soll ein Goldstück werden.“ Das letzte sprach: „Es soll einen König heiraten.“

Das artige Mädchen brachte die Erdbeeren heim. Es erzählte von den drei freundlichen Männlein und bei jedem Wort kam ihm ein Goldstück aus dem Munde heraus. Das ärgerte die Stiefmutter und ihre Tochter. Diese wollte die Männlein nun auch besuchen. Die Mutter war aber nicht damit zufrieden. Aber die Tochter war eigensinnig und wollte doch hingehen. Deshalb zog die Mutter ihr die wärmste Kleidung an. Sie gab ihr auch schönes Essen in dem Körblein mit. Die Tochter ging in den Wald, das Häuschen zu suchen. Nach einiger Zeit fand sie es. Die Männlein guckten sie von dem Fenster aus an, aber sie grüßte dieselben nicht. Sie klopfte nicht an die Tür, sondern öffnete sie ohne weiteres, stolperte hinein und setzte sich dann auf die Bank am Ofen.

Und wie sie saß und sich wärmte, öffnete sie das Körblein und aß das Frühstück. Die Männlein wollten auch etwas davon haben, aber sie hatte nichts für sie übrig. „Ich habe nicht genug für euch,“ sagte sie. Nach dem Essen gab ihr einer der kleinen Männer einen Besen in die Hand und sagte: „Bitte, kehre uns den Schnee von der Hintertür weg.“ Doch das Mädchen antwortete: „Kehrt selber; ich bin nicht eure Magd,“ und blieb sitzen. Darum schenkten ihr die Männlein keine Erdbeeren, und sie verließ verdrießlich das Haus und schlug die Tür heftig hinter sich zu.

Draußen suchte sie ein Weilchen Beeren. Sie fand aber keine und eilte nach Hause. Die Männlein guckten ihr aus dem Fenster nach, und einer von ihnen sprach: „Das ist ein recht unartiges Kind; was sollen wir ihm schenken?“ Das eine sprach: „Es soll jeden Tag häßlicher werden.“ Das andere sagte: „Bei jedem Wort, das es ausspricht, soll ihm eine Kröte aus dem Munde springen.“ Das letzte aber sprach: „Es soll eines unglücklichen Todes sterben.“

Die rechte Tochter kam also ohne Beeren nach Hause. Sie erzählte der Mutter alles. Sie hatte nur garstige Kröten mitgebracht. Die Mutter ärgerte sich noch mehr. Die Stieftochter sprach goldene Worte und wurde jeden Tag schöner. Ihre eigene Tochter wurde jeden Tag häßlicher. Das war der Mutter unerträglich und die Stieftochter mußte darunter leiden.

Es war noch mitten im Winter. Die Stieftochter hatte Garn zu waschen. Sie mußte es in dem Flusse waschen. Sie mußte erst mit der Axt ein Loch in das Eis hauen, und wie sie beim Hauen war, kam ein prächtiger Schlitten heran.

Der König des Landes saß darin. Er bemerkte das Mädchen und wunderte sich. Er fragte: „Wo kommst du her? Was machst du da in der Kälte?“

Dann erzählte das Mädchen seinen Kummer. Der König hatte Mitleid mit ihm, weil es so schön war und er fragte: „Willst du mit mir auf mein Schloß kommen und meine Frau werden?“ Das Mädchen antwortete: „Ja, gern,“ stieg in den Schlitten und verließ die böse Stiefmutter. Und weil es so schön und lieblich war und ihm bei jedem Worte, das es aussprach, ein Goldstück aus dem Munde kam, liebte der König es sehr, und bald darauf war die Hochzeit.

IX. Der Froschkönig

Es war in den guten, alten Zeiten. Damals konnte man wünschen und der Wunsch ging in Erfüllung. Man konnte auch verwünschen und das Verwünschen ging in Erfüllung. Die Guten wünschten, die Bösen aber verwünschten.

Der Froschkönig war nun ein schöner Fürst, den eine böse Hexe verwünscht hatte. Er ward zum Frosch und mußte in einem Brunnen leben, der am Rande eines Waldes war. Nahe dabei befand sich das Schloß eines anderen Königs. Dieser hatte viele schöne Töchter, von denen aber die jüngste die allerschönste war.

Diese Tochter spielte oft im Schatten des Waldes. Auch saß sie oft am Rande des Brunnens, wo es an heißen Tagen am kühlsten war. Da kam sie eines Tages und spielte im Schatten der Bäume mit ihrer schönen, goldenen Kugel. Das war ihr liebstes Spielzeug. Sie warf die Kugel in die Höhe und fing sie wieder; zuweilen jedoch fing sie die Kugel auch nicht, die dann auf den Boden fiel und wegrollte.

Einmal rollte die Kugel weiter als gewöhnlich. Sie

rollte gerade in den Brunnen hinein. Das tat dem Mädchen sehr leid. Es weinte, es schrie laut vor Herze-leid, so weh tat ihr der Verlust der Kugel, die nun auf dem Grunde des Brunnens lag. Das Mädchen sah in 5 den Brunnen hinab, konnte aber unmöglich die Kugel entdecken, zumal der Schatten der umstehenden Bäume das Wasser verdunkelte.

Auf einmal hörte die Weinende eine Stimme. Sie horchte auf. Die Stimme kam aus dem Brunnen und 10 fragte: „Königstochter, warum weinst du?" Sie weinte nicht mehr. Sie sah in den Brunnen hinab, und bemerkte einen Frosch im Wasser; der steckte seinen häßlichen Kopf heraus und sprach zu ihr.

Das Mädchen erzählte dem Frosch seinen Kummer. Es 15 sagte: „Ach! guter Frosch, ich habe meine schöne goldene Kugel in dem Brunnen verloren. Ich spielte im Schatten der Bäume. Ich warf die Kugel in die Höhe und fing sie wieder. Einmal fiel sie aber auf den Boden, rollte nach dem Brunnen und fiel hinein. Meine schöne 20 Kugel liegt nun auf dem Grunde und ich werde sie nie wieder sehen," und dabei weinte das Mädchen immerfort.

Der Frosch aber tröstete es so: „Königstochter, weine nicht. Ich kann dir helfen. Ich will dir die Kugel holen. Ich will jetzt untertauchen und die Kugel herauf-25 holen, aber was schenkst du mir denn dafür?"

Jetzt war die schöne Königstochter gar nicht mehr betrübt und sie antwortete: „Ach, lieber Frosch, die Kugel war mein liebstes Spielzeug. Aber was willst du, lieber Frosch? Ich habe viele schöne Sachen, schöne

Kleider, schöne Edelsteine, Perlen und Diamanten. Ich gebe dir selbst die schöne, goldene Krone, die ich trage, wenn du mir meine schöne Kugel holst."

Da erwiderte der Frosch: „Deine schönen Sachen mag ich nicht. Ich wünsche mir aber eine schöne Spielkameradin. Ich will mit dir spielen, mit dir essen, mit dir trinken, bei dir wohnen. Versprich mir das, dann bring' ich dir die schöne Kugel wieder."

Die Königstochter aber dachte: „Wie doch der dumme Frosch schwätzt! Ein Frosch kann nicht eines Menschen Gesellschafter sein. Da ich aber meine Kugel wieder haben will, kann ich das ja versprechen. Sobald ich sie habe, kann ich einfach fortlaufen." Deshalb antwortete sie: „Ja, lieber Frosch, ich verspreche alles. Hol' mir mein schönes Spielzeug herauf."

Das tat nun der Frosch. Sobald aber die Prinzessin ihre Kugel wieder hatte, lief sie rasch damit fort und kümmerte sich nicht im geringsten um das Jammern des Frosches in der Tiefe. Je weiter das Mädchen sich entfernte, desto verzweifelter wurde der Frosch, der nicht mit falschem Undank belohnt sein wollte. Er versuchte sein Möglichstes, aus dem Brunnen herauszuhüpfen, er kam höher und höher und endlich war er draußen. Nun machte er sich sofort auf den Weg nach dem königlichen Schlosse. Unermüdlich hüpfte er vorwärts und erreichte endlich das Schloß.

Am anderen Tage saßen alle im Schlosse bei Tische, der König, die Königin, die schönen Töchter und alle Hofleute. Da klopfte der Frosch an die Tür und rief: „Jüngste Königstochter, mach' mir auf." Sie lief schnell zur Tür und öffnete. Da stand der häßliche Frosch, den sie ganz vergessen hatte. Sie warf die Tür hastig zu und ging wieder an ihren Platz. Aber der Frosch schrie: „Königstochter, jüngste, mach' mir auf. Weißt du denn nicht mehr, was du mir gestern versprachst? Königstochter, jüngste, mach' mir auf!"

Angstvoll saß sie am Tische und aß gar nichts. Da fragte der Vater: „Wer war draußen an der Tür, meine Tochter, ein Riese? Warum ist dir denn so gewaltig angst?"

Dann mußte sie alles erzählen, und alles Bitten half ihr nichts; sie mußte den Frosch hereinlassen, denn der Vater war sehr streng. Sie sollte ihm Wort halten und seine Spielkameradin sein; das war hart, und sie weinte bitterlich.

Der Frosch kam also herein. Er hüpfte zum Tisch und wollte mit am Tische sitzen, mitessen und mittrinken, denn er war hungrig und durstig.

Er aß und trank auch wirklich mit und dann wollte er schlafen. Er war müde und wollte früh zu Bett gehen. Das Mädchen fing an zu weinen, aber das half nichts. Der Vater ward zornig und sie mußte den garstigen Frosch hinauf in ihr Kämmerlein tragen. Da setzte sie ihn in eine Ecke, während das Mädchen selbst zu Bett ging. Der Frosch klagte, er wäre auch müde und drohte: „Ich sage es dem Vater." Das aber machte die Prinzessin böse. Sie nahm den Frosch und warf ihn kräftig gegen die Wand. „Nun schlaf', du garstiger Frosch," sagte sie. Aber was war denn das? Das war ja kein Frosch mehr; vor ihr stand plötzlich ein schöner Prinz. Dieser erzählte der schönen Königstochter, wie eine Hexe ihn verwünscht habe. Sie, die Prinzessin, habe ihn erlöst und müsse nun seine Gemahlin werden.

Der Vater des glücklichen Prinzen hörte bald von seinem Sohne, was geschehen war. Er freute sich sehr. Auch der frühere Diener des Sohnes freute sich jetzt. Lange hatte er sich um seinen Herrn gegrämt. Er war so traurig geworden, daß er drei eiserne Bande um sein Herz hatte. Nun kam Heinrich (so hieß der Diener) hoch erfreut zu seinem Herrn und brachte ihm einen Wagen mit acht schneeweißen Pferden für die Heimfahrt mit.

Auf der Heimfahrt sagte der Königssohn zu seinem Diener: „Heinrich, der Wagen bricht." Heinrich aber sprach: „Nein, Herr, der Wagen bricht nicht; es ist ein Band von meinem Herzen." Ein Band nach dem andern brach. Doch jedesmal dachte sein Herr, es wäre der Wagen, der bräche. Es waren aber nur die Bande, die krachten. Der treue Heinrich war nun so glücklich, weil sein Herr endlich erlöst war.

X. Die Bremer Stadtmusikanten

Es hatte ein Mann einen Esel, der sehr alt geworden war. Der Mann war Müller und der Esel konnte die Säcke nicht mehr zur Mühle tragen. Da sagte der Herr eines Tages von dem Esel: „Der alte Esel ist mir nicht mehr das Futter wert. Ich will ihn darum verkaufen oder ihn meinen armen Bauern geben. Es ist mir ganz gleich, wer ihn hat. Ich behalte ihn nicht länger."

Das betrübte den Esel, der immer sehr treu gedient hatte. Er dachte: „Der Wind weht mir nicht gut. Ich muß noch heute fort, aber wohin? Ich gehe nach Bremen. Ich werde da Stadtmusikant."

Der Esel machte sich nun bald auf den Weg nach Bremen. Er trabte fort so schnell wie es ihm die alten Beine gestatteten. Das war aber nicht sehr schnell. Er war nicht weit gegangen, da sah er einen alten Jagdhund auf dem Wege liegen. Der Hund jappte, als ob er sehr müde wäre. „Ei, Packan!" sprach der Esel munter, „wie geht's heute morgen? Was ist los, daß du so jappst und so betrübt aussiehst?" „Ach," antwortete der Hund, „der Herr nennt mich jetzt einen Taugenichts. Ich bin aber doch nur alt und schwach geworden. Ich habe nur noch ein paar Zähne und kann nicht mehr auf die Jagd gehen. Deshalb will der Herr mich morgen töten. Das gefällt mir gar nicht. Ich will fortlaufen, nur weiß ich nicht wohin. Auch weiß ich noch nicht, wie ich mein Brot verdienen kann. Ich armer Packan!"

„So," sprach munter der Esel, „nichts Schlimmeres als das? Ich weiß Rat. Auf die Füße, Freund Packan, und komm mit. Ich gehe nach Bremen. Da werden wir Stadtmusikanten. Ich spiele die Laute und du schlägst die Pauken." Damit war der Hund zufrieden und sie machten sich beide auf die Reise.

Nicht lange darauf sahen sie am Wege eine Katze, die ein Gesicht wie drei Tage Regenwetter machte. „Alter Bartputzer," sagte lustig der Esel, „was ist dir denn in die Quere gekommen? Hast alle Mäuse und Ratten gefangen?"

Der alte Bartputzer miaute langsam und traurig so: „Du magst lustig sein, aber für mich sind dies schlechte Zeiten. Meine Herrin will mich ersäufen. Sie sagt, ich sei träge geworden. Aber ich bin doch nur älter geworden. Meine Zähne sind nicht mehr so scharf, meine Beine nicht mehr so stark. Ich sitze daher lieber hinter dem Ofen. Ich jage nicht mehr herum wie die jungen Leute, nein, ich bleibe zu Hause und spinne. Die Frau kann mich nicht mehr leiden. Du magst lustig sein, ich kann es doch nicht sein, und guter Rat ist teuer. Mi—au! Mi—au!"

„Musik, Musik!" sprach lustig der Esel. „Du verstehst dich auf die Musik. Komm' nur mit, wir gehen nach Bremen. Wir werden da Stadtmusikanten. Du kannst Nachtwächter werden."

Das war wirklich ein guter Rat. Damit war die Katze ganz zufrieden, und sie machten sich alle auf den Weg nach Bremen.

Nicht lange darauf hörten sie in der Ferne einen Hahn. „Da gibt's was zu essen," dachten sie alle und eilten ohne ein Wort weiter. Sie kamen bald an einen Hof. Der Hahn saß auf dem Zaun und schrie aus vollem Halse. Aber er bemerkte bald die Reisenden und war still. Da sprach der Esel: „Guten Tag, Herr Kikeriki! Musik, Musik! Du verstehst dich auch darauf. Aber warum schreist du denn so greulich? Es geht einem förmlich durch Mark und Bein."

„Ich bin wie der sterbende Schwan," erwiderte der Hahn. „Ich singe jetzt mein Abschiedslied. Heute früh hatte ich der Frau gutes Wetter prophezeit. Gäste sind seitdem in das Haus gekommen. Morgen ist Sonntag. Heute abend geht es mir an den Kragen; morgen muß ich in Suppe. Die Frau hat es selbst gesagt und ich habe gehört, wie sie es der Köchin mitteilte. Die Frau ist sehr undankbar. Darum muß ich aus vollem Halse schreien. Das Leben ist kurz."

„Rotkopf," sprach nun der Esel, „du hast eine starke Stimme. Komm mit uns, wir gehen nach Bremen. Da werden wir Stadtmusikanten." Das gefiel dem Hahn. Er setzte sich auf den Rücken des Esels und ritt stolz nach Bremen.

Sie beeilten sich sehr, konnten aber die Stadt nicht in einem Tage erreichen und es wurde dunkel, als sie sich in einem großen Walde befanden. Da mußten sie übernachten. Der Esel und der Hund legten sich unter einen großen Baum. Die Katze kletterte hinauf in die Äste. Aber der Hahn mußte so weit hinauf, wie er konnte. Er flog darum bis in die Spitze des Baumes. Der Hahn mußte sich aber erst nach allen Seiten umsehen. Ohne das zu tun, konnte er gar nicht einschlafen. Er war Wächter von Hause aus. Er sah also nach allen vier Winden und bemerkte in der Ferne ein Licht. Er rief seinen Kameraden zu und sie machten sich alle auf den Weg dem Lichte zu. Sie hofften nämlich eine bessere Herberge und Futter zu finden. Nach einiger Zeit fanden sie das Haus. Es war aber eine Räuberherberge. Das fand der Esel heraus. Er war der größte und daher der Führer. Er schaute zum Fenster hinein und sah die Räuber am Tische. Er sah, wie sie so gut aßen und tranken und er erzählte es den andern. „Das wäre 'was für uns! Ach, wären wir nur erst drinnen!" jammerten sie alle ganz leise.

Nun war guter Rat teuer. Endlich ging der Esel noch einmal ans Fenster. Der Hund sprang auf den Rücken des Esels. Die Katze kletterte auf den Hund und der Hahn setzte sich oben auf die Katze. Auf ein Zeichen begannen die Musikanten nach ihrer Art zu spielen. Der Esel schrie, der Hund bellte, die Katze miaute, der Hahn krähte und alle sprangen dabei durch das Fenster in die Stube. Das war entsetzlich! Die Räuber flohen in die Mitte des Waldes hinein, allein die Musikanten setzten sich zu Tisch und aßen nach Herzenslust. Darauf begaben sie sich zur Ruhe. Doch erst löschten sie das Licht aus. Das bemerkten die Räuber aus der Ferne, und kehrten alle um Mitternacht zurück. Alles schien im Hause ruhig zu sein. Kein Gespenst war mehr zu sehen.

Die Musikanten waren jetzt nicht mehr alle zusammen. Die Katze war am Herde, der Hund an der Haustür, der Hahn hoch oben auf einem Balken, der Esel draußen auf dem Mist. Als nun einer der Räuber hereinkam und Licht machen wollte, sah er die Augen der Katze; er hielt sie für brennende Kohlen und hielt darum ein Schwefelhölzchen daran. Die Katze aber sprang ihm ins Gesicht und kratzte ihn. „Die Hexe ist noch da," schrie er und lief zur Hintertür hinaus. Das Geschrei hatte auch den alten Packan geweckt. Als der Räuber vorbei ging, biß ihn Packan in das Bein. „Ach! ein Mann hat mich mit einem Messer gestochen," sagte er und lief 5 schnell an dem Mist vorbei, wo der Esel ihm einen tüchtigen Schlag gab. „Was ist das für ein Ungetüm?" rief er. Das war aber nicht alles. Auch der Hahn auf dem Baume wurde aus dem Schlafe geweckt und schrie aus Leibeskräften. Der Räuber dachte, es wäre 10 der Richter, der sagte: „Hol' ihn zurück! Hol' ihn zurück!" und schnell wie der Wind lief er in den Wald.

Er kam bald zu den anderen Räubern und sagte: „Lauft, lauft!" und sie liefen so schnell wie sie konn- 15 ten wieder in die Mitte des Waldes hinein und kamen nie mehr zurück. Das gefiel den vier Waldmusikanten erst recht. Sie wurden nie Stadtmusikanten. Sie blieben immer da. Der Wind hat ihnen gut geweht.

XI. Doktor Allwissend

20 Doktor Allwissend! das heißt, ein Doktor, der alles weiß. Man nennt ihn auf Englisch „Dr. Quack." Ein armer Bauer wurde einmal solch ein Doktor Allwissend! früher aber war sein Name Krebs. Als Bauer hatte er zwei Ochsen gehabt. Er hatte Holz zu verkaufen. Krebs 25 wohnte mit seiner Frau Grete in einem Dorfe. Eines

Tages fuhr er mit seinen zwei Ochsen ein Fuder Holz in die Stadt und verkaufte es an einen Doktor, der immer gern Spaß machte. Krebs warf das Holz vom Wagen und ging dann in das Haus, um sich das Geld dafür geben zu lassen. Der Doktor bezahlte ihm scherzend zwei Taler, einen niedrigen Preis. Dann setzte er sich zu Tisch, da es Essenszeit war, und aß tüchtig. Darauf verstehen sich alle Doktoren gut. Der arme Bauer sah nun, wie gut der Herr Doktor aß und trank, und da kam ihm der Gedanke, er wollte auch Doktor werden, damit er auch so gutes Essen haben könnte. Nachdem er noch ein Weilchen an der Tür gestanden hatte, fragte er endlich, ob er nicht auch Doktor werden könnte.

Der Doktor erwiderte ernsthaft: „Natürlich, nichts ist leichter. Ja, du kannst Doktor werden. Mein Wort und meine Hand darauf."

„Was muß ich tun, um Doktor zu werden?" fragte der Bauer. Der Doktor erwiderte immer noch ernsthaft: „Erstens kaufe dir ein A-B-C-Buch. Es muß auf der ersten Seite einen Göckelhahn haben. Der schreit gewaltig. Der weiß alles. Zweitens verkaufe deine schönen Ochsen und kaufe dir schöne Kleidung. Du wirst dann schön aussehen. Drittens mußt du ein Schild haben. Dies ist sehr wichtig. Darauf mußt du die Worte schreiben: „Ich bin der Doktor Allwissend." Du mußt es dann über deine Haustür nageln. Tu' das, und du wirst berühmt."

Gesagt, getan. Der Bauer tat genau wie der Doktor

ihm geraten hatte. „Ich tu' genau, wie er gesagt hat. Das bringt Glück," sagte der Bauer.

Dann dokterte der Bauer. Er wurde tatsächlich berühmt. Als er noch nicht lange gedoktert hatte, kam
5 ein reicher Herr zu ihm. Man hatte diesem eine große Summe Geld gestohlen und ihm gesagt: „In dem und dem Dorfe wohnt ein Doktor; er heißt Doktor Allwissend. Der weiß vielleicht, wo das Geld ist. Der weiß alles, sagt man." Darum war der Reiche zu dem Herrn Doktor
10 gekommen.

Der Reiche hatte fünf Bediente. Diese hatten das Geld gestohlen und versteckt. Wie groß war nun ihr Schrecken, als ihr Herr zu dem Doktor ging.

Als dieser alles gehört hatte, erklärte er, daß er mit
15 in das Haus des Reichen gehen müsse und daß er auch seine eigene Frau mitnehmen wollte. Der Reiche war damit zufrieden. Dann stiegen alle drei in den Wagen des Reichen und fuhren zusammen nach seinem Hause.

Es war nun Mittag geworden. Das Essen war fer-
20 tig, deshalb setzten sie sich alle zu Tisch, der Doktor neben seine Grete. So wollte er es haben. Bald kam der erste Bediente mit einer Schüssel herein. Der Doktor stieß seine Frau mit dem Ellbogen an und sagte: „Grete, das ist der erste." Er meinte den Bedienten,
25 der die erste Schüssel brachte. Dieser aber erschrak. Sobald er konnte, ging er hinaus und sagte zu seinen Kameraden: „Der Doktor weiß alles. Er hat gesagt, ich wäre der erste Dieb." Da erschraken sie alle und die anderen wollten nicht hineingehen. Sie mußten aber gehen.

Der zweite, der hineinging, kam bald wieder heraus. „Der Doktor hat auch zu mir gesagt, ich wäre der zweite Dieb," sprach er zitternd. Dem dritten erging es nicht besser. Er wäre der dritte Dieb, sagte er. Erschrocken mußte jetzt auch der vierte hineingehen. Er trug Krebse in seiner Schüssel. Da sagte der Herr: „Herr Doktor, zeigen Sie uns nun einmal Ihre Kunst. Raten Sie einmal, was in der Schüssel ist."

Der Doktor hatte schon den Bedienten seine Kunst gezeigt. Der Herr wußte es jedoch nicht, auch der Doktor selbst nicht. Der Bauer sah die Schüssel ein Weilchen an. Er sah den Herrn an und dann Grete. Er wußte nicht, was er antworten sollte. Er sah wieder nach der Schüssel, wieder nach dem Bedienten. Der arme Doktor! er war in der größten Verlegenheit. Dann sprach er aus Verzweiflung: „Ach, ich armer Krebs!" Nun rief der Herr laut: „Er weiß es. Er hat es geraten. Der Doktor weiß alles. Nun weiß er auch, wer mein Geld hat." Dem Bedienten wurde gewaltig angst. Draußen an der Tür standen auch die anderen. Sie hatten alles mitangehört. Sie glaubten, der Herr wolle sie jetzt alle hängen lassen. Der vierte Bediente aber war weise. Er winkte dem Doktor, er möchte einmal herauskommen. Der Doktor entschuldigte sich und ging hinaus. Die Bedienten gestanden: „Ja, wir sind wirklich die Diebe. Wir haben das Geld gestohlen; sagen Sie es aber dem Herrn nicht, sonst läßt er uns hängen. Wir wollen Ihnen zeigen, wo wir das Geld versteckt haben und versprechen Ihnen eine große Summe Geld, wenn Sie uns nicht verraten." Der Doktor versprach, die Diebe nicht zu verraten, sah, wo das Geld verborgen war, und kehrte dann in das Eßzimmer zurück.

Der fünfte Bediente hatte sich, während die andern 5 mit dem Doktor sprachen, in den Ofen versteckt, weil er alles hören wollte. Der Doktor kam wieder herein, nahm sein A-B-C-Buch in die Hand und sagte: „Jetzt will ich suchen, wo das Geld steckt." Er blätterte und blätterte. Er suchte den Hahn; er dachte, der Hahn 10 wüßte alles, der würde ihm sagen, wo das Geld stecke. Er konnte ihn aber nicht schnell genug finden. Da sagte er: „Du bist darin, also mußt du auch heraus."

Voller Schrecken kroch der fünfte Bediente hastig aus seinem Versteck heraus. Er ging in großer Angst zu 15 den andern und rief: „Der Doktor weiß alles. Er wußte, ich war in dem Ofen. Es geht uns bald an den Hals."

Zuletzt fand der Doktor den Göckelhahn. Er sah ihn ein Weilchen an. Er wußte jetzt, wo das Geld steckte. 20 Dann ging er mit dem Herrn hinaus und zeigte ihm das Geld. Der Herr war sehr zufrieden, und gab dem Doktor eine große Geldsumme. Dieser war jetzt berühmt, auch hatte er schönes Essen sein ganzes Leben lang.

XII. Frau Holle

25 Eine Witwe hatte zwei Töchter, davon war die eine schön und fleißig, die andere häßlich und faul. Sie

hatte aber die häßliche, weil sie ihre rechte Tochter war, viel lieber, und die andere mußte alle Arbeit tun und der Aschenputtel im Hause sein. Das arme Mädchen mußte sich täglich auf die große Straße bei einem Brunnen setzen, und mußte so viel spinnen, daß ihm das Blut aus den Fingern sprang. Nun trug es sich zu, daß die Spule einmal ganz blutig war, da bückte es sich damit in den Brunnen und wollte sie abwaschen; sie sprang ihm aber aus der Hand und fiel hinab. Es weinte, lief zur Stiefmutter und erzählte ihr das Unglück. Sie schalt es aber so heftig, und war so unbarmherzig, daß sie sprach: „Hast du die Spule hinunterfallen lassen, so hol' sie auch wieder herauf.“ Da ging das Mädchen zu dem Brunnen zurück und wußte nicht was es anfangen sollte: und in seiner Herzensangst sprang es in den Brunnen hinein, um die Spule zu holen. Es verlor die Besinnung, und als es erwachte und wieder zu sich selber kam, war es auf einer schönen Wiese, wo die Sonne schien und viel tausend Blumen standen. Auf dieser Wiese ging es fort und kam zu einem Backofen, der war voller Brot; das Brot aber rief: „Ach, zieh' mich 'raus, zieh' mich 'raus, sonst verbrenn' ich: ich bin schon längst ausgebacken.“ Da trat es herzu und holte mit dem Brotschieber alles nacheinander heraus. Danach ging es weiter und kam zu einem Baum, der hing voll Äpfel, und rief ihm zu: „Ach, schüttel mich, schüttel mich, wir Äpfel sind alle miteinander reif.“ Da schüttelte es den Baum, daß die Äpfel fielen, als regneten sie, und schüttelte bis keiner mehr oben war; und als es alle in einen Haufen zusammengelegt hatte, ging es wieder weiter. Endlich kam es zu einem kleinen Hause. Daraus guckte eine alte Frau; weil sie aber so große Zähne hatte, ward ihm angst, und es wollte fortlaufen. Die alte Frau aber rief ihm nach: „Was fürchtest du dich, 5 liebes Kind? bleib bei mir, wenn du alle Arbeit im Hause ordentlich tun willst, so soll dir's gut gehen. Du mußt nur achtgeben, daß du mein Bett gut machst, und es fleißig aufschüttelst, daß die Federn fliegen. Dann 10 schneit es in der Welt; ich bin die Frau Holle."

Weil die Alte ihm so gut zusprach, so faßte sich das Mädchen ein Herz, willigte ein und begab sich in ihren Dienst. Es besorgte auch alles nach ihrer Zufriedenheit und schüttelte ihr das Bett so gewaltig auf, daß die 15 Federn wie Schneeflocken umherflogen; dafür hatte es auch ein gut Leben bei ihr, kein böses Wort, und alle Tage Gesottenes und Gebratenes.

Nun war es eine Zeitlang bei der Frau Holle, da ward es traurig und wußte anfangs selbst nicht, was 20 ihm fehle. Endlich merkte es, daß es Heimweh war; ob es ihm hier gleich viel tausendmal besser ging als zu Haus, so hatte es doch ein Verlangen dahin. Endlich sagte es zu ihr: „Ich habe den Jammer nach Haus kriegt und wenn es mir auch noch so gut hier unten 25 geht, so kann ich doch nicht länger bleiben, ich muß wieder hinauf zu den Meinigen."

Die Frau Holle sagte: „Es gefällt mir, daß du wieder nach Hause verlangst, und weil du mir so treu gedient hast, so will ich dich selbst wieder hinaufbringen."

Sie nahm es darauf bei der Hand und führte es vor ein großes Tor. Das Tor ward aufgetan, und wie das Mädchen gerade darunter stand, fiel ein gewaltiger Goldregen, und alles Gold blieb an ihm hängen, so daß es über und über davon bedeckt war. „Das sollst du haben, weil du so fleißig gewesen bist,“ sprach die Frau Holle und gab ihm auch die Spule wieder, die ihm in den Brunnen gefallen war.

Darauf war das Tor verschlossen, und das Mädchen befand sich oben auf der Welt, nicht weit von seiner Mutter Haus; und als es in den Hof kam, saß der Hahn auf dem Brunnen und rief: „Kikeriki, unsere goldene Jungfrau ist wieder hie.“ Da ging es hinein zu seiner Mutter, und weil es so mit Gold bedeckt ankam, ward es von ihr und der Schwester gut aufgenommen.

Das Mädchen erzählte alles, was ihm begegnet war, und als die Mutter hörte, wie es zu dem großen Reichtum gekommen war, wollte sie der andern häßlichen und faulen Tochter gerne dasselbe Glück verschaffen. Sie mußte sich an den Brunnen setzen und spinnen; und damit ihre Spule blutig ward, stach sie sich in den Finger und stieß sich die Hand in die Dornhecke. Dann warf sie die Spule in den Brunnen und sprang selber hinein. Sie kam, wie die andere, auf die schöne Wiese und ging auf demselben Pfade weiter. Als sie zu dem Backofen gelangte, schrie das Brot wieder: „Ach, zieh' mich 'raus, zieh' mich 'raus, sonst verbrenn' ich, ich bin schon längst ausgebacken.“ Die Faule aber antwortete: „Da hätt' ich Lust, mich schmutzig zu machen,“ und ging fort. Bald kam sie zu dem Apfelbaum, der rief: „Ach, schüttel mich, schüttel mich, wir Äpfel sind alle miteinander reif." Sie antwortete aber: „Du kommst mir recht, es könnte mir einer auf den Kopf fallen," und ging damit weiter.

Als sie vor der Frau Holle Haus kam, fürchtete sie sich nicht, weil sie von ihren großen Zähnen schon gehört hatte, und verdingte sich gleich zu ihr. Am ersten Tag tat sie sich Gewalt an, war fleißig und folgte der Frau Holle, wenn sie ihr etwas sagte, denn sie dachte an das viele Gold, das sie ihr schenken würde; am zweiten Tage aber fing sie schon an zu faulenzen, am dritten noch mehr, da wollte sie morgens gar nicht aufstehen. Sie machte auch der Frau Holle das Bett nicht wie sich's gebührte, und schüttelte es nicht, daß die Federn aufflogen. Das ward die Frau Holle bald müde und sagte ihr den Dienst auf. Die Faule war das wohl zufrieden und meinte, nun würde der Goldregen kommen; die Frau Holle führte sie auch zu dem Tor, als sie aber darunter stand, ward statt des Goldes ein großer Kessel voll Pech ausgeschüttet. „Das ist zur Belohnung deiner Dienste," sagte die Frau Holle und schloß das Tor zu. Da kam die Faule heim, aber sie war ganz mit Pech bedeckt, und der Hahn auf dem Brunnen, als er sie sah, rief: „Kikeriki, unsere schmutzige Jungfrau ist wieder hie." Das Pech aber blieb fest an ihr hängen und wollte, so lange sie lebte, nicht abgehen.

XIII. Der Zaunkönig und der Bär

Zur Sommerszeit gingen einmal der Bär und der Wolf im Wald' spazieren, da hörte der Bär so schönen Gesang von einem Vogel, und sprach: „Bruder Wolf, was ist das für ein Vogel, der so schön singt?" „Das ist der König der Vögel," sagte der Wolf, „vor dem müssen wir uns neigen." Es war aber der Zaunkönig. „Wenn das ist," sagte der Bär, „so möcht' ich auch gerne seinen königlichen Palast sehen, komm und führe mich hin," „Das geht nicht so, wie du meinst," sprach der Wolf, „du mußt warten bis die Frau Königin kommt." Bald darauf kam die Frau Königin und hatte Futter im Schnabel, und der Herr König auch, und wollten ihre Jungen ätzen. Der Bär wäre gerne nun gleich hinterdrein gegangen, aber der Wolf hielt ihn am Ärmel und sagte: „Nein, du mußt warten, bis Herr und Frau Königin wieder fort sind." Also nahmen sie das Loch in acht, wo das Nest stand, und trabten wieder ab. Der Bär aber hatte keine Ruhe, wollte den königlichen Palast sehen, und ging nach einer kurzen Weile wieder vor. Da waren König und Königin richtig ausgeflogen: er guckte hinein und sah fünf oder sechs Junge, die lagen darin. „Ist das der königliche Palast!" rief der Bär, „das ist ein erbärmlicher Palast! ihr seid auch keine Königskinder, ihr seid unehrliche Kinder." Wie das die jungen Zaunkönige hörten, wurden sie gewaltig böse und schrieen: „Nein, das sind wir nicht, unsere Eltern sind ehrliche Leute; Bär, das soll ausgemacht werden mit dir.“ Dem Bär und dem Wolf ward angst, sie kehrten um und setzten sich in ihre Höhlen. Die jungen Zaunkönige aber schrieen und lärmten fort, und als ihre Eltern wieder Futter brachten, sagten sie: „Wir rühren kein Fliegenbeinchen an und sollten wir verhungern, bis ihr erst ausgemacht habt, ob wir ehrliche Kinder sind oder nicht; der Bär ist da gewesen und hat uns gescholten.“ Da sagte der alte König: „Seid nur ruhig, das soll ausgemacht werden.“ Flog darauf mit der Frau Königin dem Bären vor seine Höhle und rief hinein: „Alter Brummbär, warum hast du meine Kinder gescholten? Das soll dir übel bekommen, das wollen wir in einem blutigen Kriege ausmachen.“ Also war dem Bären der Krieg angekündigt, und ward alles vierfüßige Getier berufen, Ochs, Esel, Rind, Hirsch, Reh, und was die Erde sonst alles trägt. Der Zaunkönig aber berief alles, was in der Luft fliegt; nicht allein die Vögel groß und klein, sondern auch die Mücken, Hornisse, Bienen und Fliegen mußten herbei.

Als nun die Zeit kam, wo der Krieg angehen sollte, da schickte der Zaunkönig Kundschafter aus, wer der kommandierende General des Feindes wäre. Die Mücke war die listigste von allen, schwärmte im Walde, wo der Feind sich versammelte, und setzte sich endlich unter ein Blatt auf den Baum, wo die Parole ausgegeben wurde. Da stand der Bär, rief den Fuchs vor sich und sprach: „Fuchs, du bist der schlauste unter allem Getier, du sollst General sein und uns anführen.“ „Gut,“ sagte der Fuchs, „aber was für Zeichen wollen wir verabreden?“ Niemand wußte es. Da sprach der Fuchs: „Ich habe einen schönen langen buschigen Schwanz, der sieht aus fast wie ein roter Federbusch; wenn ich den Schwanz in die Höhe halte, so geht die Sache gut, und ihr müßt darauf los marschieren; laß ich ihn aber herunterhängen, so lauft was ihr könnt.“ Als die Mücke das gehört hatte, flog sie wieder heim, und verriet dem Zaunkönig alles haarklein.

Als der Tag anbrach, wo die Schlacht sollte geliefert werden, hu, da kam das vierfüßige Getier dahergerannt mit Gebraus, daß die Erde zitterte; Zaunkönig mit seiner Armee kam auch durch die Luft daher, die schnurrte, schrie und schwärmte, daß einem angst und bange ward; und gingen sie da von beiden Seiten aneinander. Der Zaunkönig aber schickte die Hornisse hinab, sie sollte sich dem Fuchs unter den Schwanz setzen und aus Leibeskräften stechen. Wie nun der Fuchs den ersten Stich bekam, zuckte er, daß er das eine Bein aufhob, doch ertrug er's und hielt den Schwanz noch in die Höhe: beim zweiten Stich mußte er ihn einen Augenblick herunter lassen: beim dritten aber konnte er sich nicht mehr halten, schrie und nahm den Schwanz zwischen die Beine. Wie das die Tiere sahen, meinten sie, alles wäre verloren und fingen an zu laufen, jeder in seine Höhle, und hatten die Vögel die Schlacht gewonnen.

Da flogen der Herr König und die Frau Königin heim zu ihren Kindern, und riefen: „Kinder, seid fröhlich, eßt und trinkt nach Herzenslust, wir haben den Krieg gewonnen." Die jungen Zaunkönige aber sagten: „Noch essen wir nicht, der Bär soll erst vor das Nest kommen und Abbitte tun, und soll sagen, daß wir ehrliche Kinder sind."

Da flog der Zaunkönig vor das Loch des Bären und rief: „Brummbär, du sollst vor das Nest zu meinen Kindern gehen, und Abbitte tun und sagen, daß sie ehrliche Kinder sind, sonst sollen dir die Rippen im Leib zertreten werden." Da kroch der Bär in der größten Angst hin und tat Abbitte. Jetzt waren die jungen Zaunkönige erst zufrieden, setzten sich zusammen, aßen und tranken und machten sich lustig bis in die späte Nacht hinein.

Fragen

Der süße Brei

1. Wie beginnt das Märchen? 2. Hatte das Mädchen einen Vater? 3. Hatte es eine Mutter? 4. War die Mutter arm? 5. Hatten sie eine Wohnung? 6. Hatten sie auch Kleidung? 7. Wo wohnten sie? 8. Wo stand ihr Haus? 9. Wie war alles im Walde? 10. Hatte die Mutter Brot im Hause? 11. Hatte sie einen Garten? 12. Wie war die kleine Tochter? 13. Wie war die Mutter? 14. Wohin ging das Mädchen eines Tages? 15. Was tat es im Walde? 16. Wen sah es auf einmal? 17. Wie begrüßte die Alte das Kind? 18. Was gab sie ihm? 19. Was brauchte das Mädchen nur zu sagen? 20. Was tat dann das Töpfchen? 21. Was tat es, wenn das Mädchen „Töpfchen steh'" sagte? 22. Nahm das Mädchen das Töpfchen? 23. Wohin lief es? 24. Wie waren jetzt Mutter und Tochter? 25. Was sagte das Mädchen? 26. Was sagte endlich das Mädchen? 27. Was sagte auch die Mutter? 28. Wie oft hatten sie guten Brei? 29. Wie oft ging das Mädchen in den Wald? 30. Warum? 31. Ging die Mutter auch hin? 32. Wie war das Mädchen, als es eines Tages allein in den

Wald ging? 33. Wen wollte es sehen? 34. Wie lange blieb es im Walde? 35. Wie wurde die Mutter? 36. Was sagte sie? Erzählen Sie weiter. 37. Warum hörte das Töpfchen die Mutter nicht? 38. Was sah das Mädchen, als es zurück kam? 39. Was sagte das Mädchen? 40. Was tat das Töpfchen? 41. Was tat das Mädchen? 42. Was sagte es?

Der alte Großvater

1. Wie beginnt dieses Märchen? 2. Wie war der Großvater? 3. Lebte seine Frau noch? 4. Bei wem wohnte er? 5. Wie viele Kinder hatte der Sohn? 6. Wie alt war das Kind? 7. Wie waren der Sohn und seine Frau gegen den alten Großvater? 8. Wo saß die Familie eines Tages? 9. Was hatte der Großvater zu essen? 10. Was tat er? 11. Wie wurde die Frau seines Sohnes? 12. Was tat sie? 13. Was tat der Großvater jetzt? 14. Was sagte die Frau zu ihm? 15. Wo mußte er von nun an essen? 16. Woraus aß er? 17. Bekam er genug zu essen? 18. Was tat er? 19. Wie war er eines Tages? 20. Was tat er? 21. Was sagte die Frau? 22. Was kaufte sie ihm am nächsten Tage? 23. Wie behandelte sie ihn? 24. Wo saßen die Eltern eines Tages? 25. Was tat ihr kleiner Sohn? 26. Was machte er? 27. Was fragte der Vater? 28. Was antwortete das Kind? 29. Für wen machte das Kind das Tröglein? 30. Was hatte das Kind verstanden?

31. Was tat dann der Vater? 32. Auch die Mutter? 33. Warum mußten sie weinen? 34. Was taten sie nun? 35. Was gaben sie dem alten Großvater? 36. Wie wurden sie zu ihm? 37. Wie war jetzt der Großvater?

Die drei Faulen

1. Wie viele Söhne hatte der König? 2. Wie waren sie? 3. Wie war der König jetzt? 4. Welchen Sohn hatte er am liebsten? 5. Konnte der König einen von ihnen zum König ernennen? 6. Was sagte ihnen der König? 7. Was sagte der älteste Sohn? 8. Was sagte der zweite Sohn? 9. Was sagte der jüngste Sohn? 10. Was sagte dann der Vater? 11. Wie ist es in der Welt?

Die drei Fragen

1. Was ist ein Büblein? 2. Wie heißt dieses Märchen? 3. Wie war das Hirtenbüblein? 4. Was taten die Leute? 5. Konnte das Büblein die Fragen immer beantworten? 6. Wie wurde er? 7. Wie nannte man ihn? 8. Wer hörte einmal von dem Büblein? 9. Was tat der König? 10. Warum ließ der König ihn kommen? 11. Was sagte der König? 12. Was antwortete das Büblein? 13. Wie lauteten die drei Fragen? 14. Wie beantwortete das Büblein die erste Frage? 15. Wie

die zweite Frage? 16. Auch wie die dritte? 17. Welche Antwort war die beste? 18. Was sagte der König zu ihm?

Der Nagel

1. Wohin reiste ein Kaufmann? 2. Wo war er gewesen? 3. Was hatte er dahin gebracht? 4. Was bekam er dafür? 5. Warum mußte er eilen? 6. Wie weit entfernt lag seine eigene Stadt? 7. Wo kam er gegen Mittag an? 8. Was sagte er zu sich? 9. Wann wollte er weiter reisen? 10. Was sagte der Hausknecht? 11. Was sagte der Kaufmann? 12. Wann kam er wieder in die Stadt? 13. Was hatte sein Pferd verloren? 14. Wohin ging der Kaufmann? 15. Was tat er? 16. Was bekam das Roß? 17. Was sagte der Knecht, als der Kaufmann weiter wollte? 18. Was antwortete der Kaufmann darauf? 19. Was sagte der Knecht? 20. Erzählen Sie von dem Pferde. 21. Wann kam er zu Hause an? 22. Was sagte er zu sich selbst? 23. Wer hatte eigentlich Schuld daran?

Das kluge Gretel

1. Wer war Gretel? 2. Was trug sie? 3. Was tat sie, wenn sie ausging? 4. Was dachte sie sich dabei? 5. Was sagte ihr der Herr eines Tages? 6. Warum freute sie sich darüber? 7. Was sagte Gretel,

als der Gast nicht kam? 8. Was wollte der Herr tun? 9. Was tat Gretel, sobald der Herr das Haus verließ? 10. Wie war sie? 11. Was wollte sie im Keller? 12. Wohin ging sie dann? 13. Was tat sie dort? 14. Was sagte sie? 15. Was geschah, als sie wieder in die Küche zurückkehrte? 16. Warum aß sie den zweiten Flügel auch auf? 17. Was tat sie darauf? 18. Was tat sie jetzt, als der Herr noch ausblieb? 19. Was sollte auch aus dem zweiten Huhn werden? 20. Wann kam der Herr zurück? 21. Was dachte Gretel? 22. Was sagte der Herr? 23. Was antwortete Gretel? 24. Was tat der Herr? 25. Wer kam nun? 26. Wie begrüßte ihn Gretel? 27. Was tat der Gast? 28. Was rief Gretel dem Herrn zu? 29. Wohin lief er? 30. Was rief er? 31. Was tat der Gast, als er dies hörte? 32. Wohin brachte er seine Ohren?

Dornröschen

1. Wer war Dornröschen? 2. Wie zeigte der König seine Freude über das kleine Kind? 3. Wie viele weise Frauen waren im Reiche? 4. Warum lud der König sie nicht alle ein? 5. Wie hießen ihre Wundergaben? 6. Was geschah mitten im Feste? 7. Was sagte die dreizehnte Frau? 8. Wie milderte die zwölfte Frau den bösen Spruch? 9. Was befahl der König? 10. Was für ein Mädchen wurde Dornröschen? 11. Erzählen Sie von dem fünfzehnten Geburtstag. Erstens, was

das Mädchen tat; zweitens, von der alten Frau. 12. Was fragte das Mädchen? 13. Was antwortete die Alte? 14. Was geschah, als das Mädchen die Spindel in die Hand nahm? 15. Erzählen Sie von dem langen Schlaf. 16. Erzählen Sie von der Dornenhecke und den Königssöhnen. 17. Was geschah, als der hundertjährige Schlaf beinahe zu Ende war? 18. Was wollte der Prinz? 19. Was fand er anstatt einer Dornenhecke? 20. Erzählen Sie, wie es dem Prinzen weiter erging.

Die drei Männlein im Walde

1. Was ist ein Witwer? 2. Was ist eine Witwe? 3. Wie viele Kinder hatte der Witwer in dieser Geschichte? 4. Wie viele Kinder hatte die Witwe? 5. Wie war die Tochter des Mannes? 6. Wie war die Tochter der Frau? 7. Was sagte die Witwe eines Tages zu der Tochter des Mannes? 8. Was sprach der Vater, nachdem seine Tochter ihm alles erzählt hatte? 9. Wie erging es der Tochter des Mannes am Tage nach der Hochzeit? 10. Wie am zweiten Morgen? 11. Wie am dritten Morgen? 12. Warum wurde die Stiefmutter neidisch? 13. Wie erging es jetzt der Stieftochter? 14. Wie lange dauerte dies? 15. Wie war jetzt das Wetter? 16. Was machte die Stiefmutter eines Tages? 17. Was sagte sie dann zu der Stieftochter? 18. Was antwortete die Stieftochter darauf? 19. Erzählen Sie von den Männlein. 20. Was fragte das eine Männ-

lein? 21. Was antwortete das Mädchen? 22. Was mußte das Mädchen tun? 23. Was fand es unter dem Schnee? 24. Wie viele Erdbeeren pflückte es? 25. Was tat es nun? 26. Was wünschten die Männlein dem artigen Kinde? 27. Was ärgerte die Stiefmutter und ihre Tochter? 28. Was wollte diese nun auch tun? 29. Erzählen Sie, wie es ihr bei den Männlein erging. 30. Was mußte die Stieftochter jetzt tun? 31. Was geschah, als sie beim Hacken war? 32. Wer saß in dem Schlitten? 33. Was folgte nun?

Der Froschkönig

1. Wie heißt dieses Märchen? 2. Wie beginnt es? 3. Was sagte man damals von dem Wünschen? 4. Was von dem Verwünschen? 5. Wer war der Froschkönig? 6. Worin mußte er leben? 7. Was stand nahe bei dem Brunnen? 8. Hatte dieser König viele Töchter? 9. Welche von ihnen war die schönste? 10. Wo spielte diese Tochter? 11. Wo saß sie öfters an heißen Tagen? 12. Was war ihr schönstes Spielzeug? 13. Auf welche Weise spielte sie damit? 14. Was geschah eines Tages? 15. Was tat dann die Königstochter? 16. Mit welchen Worten suchte der Frosch sie zu trösten? 17. Was bot die Tönigstochter ihm an, falls er die Kugel heraufholte? 18. War der Frosch damit zufrieden? 19. Was mußte die Königstochter ihm erst versprechen? 20. Was dachte sie? 21. Was antwortete sie? 22. Was

tat sie, als sie die Kugel bekam? 23. Was tat der Frosch? 24. Wann kam der Frosch im Schlosse an? 25. Erzählen Sie weiter. 26. Was sagte der Vater dazu? 27. Was tat der Frosch? 28. Was wollte der Frosch nun? 29. Mußte das Mädchen ihn auf ihr Kämmerlein tragen? 30. Was tat sie mit ihm? 31. Was sagte er? 32. Wie wurde die Prinzessin? 33. Was tat sie? 34. Was geschah, als sie den Frosch gegen die Wand warf? 35. Heiratete sie sogleich den Prinzen? 36. Wer hörte nun von ihm? 37. Erzählen Sie von dem eisernen Heinrich.

Die Bremer Stadtmusikanten

1. Was hatte einmal ein Mann? 2. Was sagte der Mann von seinem Esel? 3. Warum sagte er dies? 4. Was dachte der Esel? 5. Wo ist Bremen? 6. Was für eine Stadt ist es? 7. Was wollte der Esel in Bremen werden? 8. Wo sah er einen alten Jagdhund liegen? 9. Wie sah der Jagdhund aus? 10. Was erzählte er? 11. Welchen Rat erteilte ihm der Esel? 12. Was geschah nicht lange darauf? 13. Was für ein Gesicht machte die Katze? 14. Warum waren es schlimme Zeiten für sie? 15. Welchen Vorschlag machte ihr der Esel? 16. Wohin kamen sie bald darauf? 17. Wo saß ein Hahn und was tat er? 18. Was sprach der Esel? 19. Was erwiderte der Hahn? 20. Was schlug der Esel dem Hahn vor? 21. Ging er mit nach Bre=

nen? 22. Wo mußten sie übernachten? 23. Erzählen Sie davon. 24. Was taten dann die vier Musikanten? 25. Was taten die Räuber? 26. Wann kamen sie wieder zurück? 27. Wo waren die Musikanten? 28. Erzählen Sie, wie es dem Räuber erging. 29. Was sagte er zu den andern Räubern? 30. Wohin liefen sie? 31. Was wurde aus den vier Musikanten?

Doktor Allwissend

1. Was bedeutet „Doktor Allwissend?" 2. Wie heißt es auf Englisch? 3. Wer wurde einmal so ein Doktor? 4. Was tat er eines Tages? 5. An wen verkaufte er das Holz? 6. Was für ein Mann war der Doktor? 7. Wie viel Geld bezahlte er Krebs für das Holz? 8. Warum wollte Krebs Doktor werden? 9. Was sollte Krebs tun, um Doktor zu werden? 10. Wer kam eines Tages zu ihm? 11. Was hatte man dem Reichen gestohlen? 12. Unter welchen Bedingungen wollte Doktor Allwissend herausfinden, wo das Geld stecke? 13. Wann kamen sie bei dem Reichen an? 14. Was taten sie bald darauf? 15. Was tat der Doktor, als der erste Bediente herein kam? 16. Was meinte er damit? 17. Was erzählte aber der Bediente? 18. Wie erging es dem zweiten Bedienten? 19. Auch wie dem dritten? 20. Welcher Bediente ging nun hinein? 21. Was trug er? 22. Was sagte der Herr zu dem Doktor? 23. Was rief er aus Verzweiflung aus? 24. Was rief der Herr aus? 25. Was tat

der vierte Bediente? 26. Was gestanden nun die Bedienten? 27. Erzählen Sie von dem fünften Bedienten und dem Doktor. 28. Wie fand dieser das Geld?

Frau Holle

1. Beschreiben Sie die beiden Töchter der Witwe. 2. Welche Tochter hatte sie am liebsten? 3. Warum? 4. Was mußte die andere Tochter tun? 5. Was geschah eines Tages, als sie beim Brunnen saß? 6. Was sagte die Stiefmutter dazu, als das Mädchen ihr das Unglück erzählte? 7. Was tat das Mädchen dann? 8. Wohin kam es nun? 9. Warum ward es dem Mädchen angst? 10. Was rief die alte Frau ihm nach? 11. Was für Arbeit mußte es machen? 12. Wie war sein Leben bei der Alten? 13. Wie belohnte sie das Mädchen für ihren treuen Dienst? 14. Wie wurde das Mädchen von der Stiefmutter aufgenommen? 15. Was mußte jetzt die rechte Tochter tun? 16. Was tat sie, damit ihre Spule blutig ward? 17. Wie arbeitete sie am ersten Tage? 18. Wie ging es aber an den folgenden Tagen? 19. Wie ward Frau Holle endlich? 20. Welche Belohnung bekam das Mädchen von ihr?

Der Zaunkönig und der Bär

Geben Sie kurz den Inhalt dieses Märchens an.

VOCABULARY

A knowledge of the regular grammatical forms and the simple rules of construction is presupposed. Separable verbs are designated by an asterisk.

In irregular verbs the vowel change in the present indicative, preterit indicative, and perfect participle is indicated.

The genitive singular and nominative plural of all nouns are given.

A

ab (*adv. and sep. pref.*), off, away.

Ab'bitte (–, –n), *f.*, deprecation; –– tun, beg pardon.

ab'*bringen (brachte, gebracht), lead away, divert.

A-B-C-Buch (–es, ⁿer), *n.*, primer.

A'bend (–s, –e), *m.*, evening.

A'bendbrot (–es, –e), *n.*, supper.

A'bendeſſen (–s, –), *n.*, supper.

a'ber (*conj.*), but, however; — doch, but yet.

ab'*gehen (ging, gegangen) (*aux.* ſein), go away.

Ab'ſatz (–es, ⁿe), *m.*, heel of a shoe.

Ab'ſchiedslied (–es, –er), *n.*, farewell song.

ab'*ſchneiden (ſchnitt, geſchnitten), *tr.*, clip, cut of.

ab'*traben, *intr.*, trot off.

ab'weſend (*part.*), absent, away from home.

ab'*waſchen (ä, u, a), *tr.*, wash off.

ab*wetzen, *tr.*, wear off by whetting.

ach (*interj.*), oh! alas!

acht (*num. adj.*), eight.

Acht, *f.*, attention; in acht nehmen, notice carefully, note; ſich in acht nehmen, take care of one's self, be on one's guard.

acht'*geben (a, e), *or* acht'*haben (hatte, gehabt), *intr.*, take care, pay attention.

allein' (*adj.*), alone; (*conj.*), but.

al'ler, alle, alles (*pron. and adj.*), all, everything.

allerdings' (*adv.*), indeed, to be sure.

allerorˈten (*adv.*), everywhere.
allerſchönſtˈ (*adj.*), most beautiful of all.
allwiſˈſend (*part. adj.*), all-knowing, omniscient.
allˈzu (*adv.*), far too.
als (*conj.*), when, as; (*with comp.*), than; nichts —, nothing but.
alˈſo (*adv.*), so, therefore, thus.
alt (*adj.; comp.*, ″er, *sup.*, ″eſt), old.
Alte, *m. and f.*, old person.
am = an dem.
an (*prep. dat. or acc., sep. pref.*), at, by, on, to, towards.
anˈ*bieten (o, o), *tr.*, offer.
anˈ*brechen (i, a, o), *tr.*, begin to break; (*intr. aux.* ſein), dawn.
anˈder (*adj.*), other, different, next.
aneinanˈder, together, against one another.
anˈ*fangen (ä, i, a), *tr.*, begin; — ſollen, ought to do.
anˈfangs (*adv.*), at first, in the beginning.
anˈ*führen, *tr.*, lead, guide.
Anˈführer (–s, –), *m.*, leader.
anˈ*geben (ie, a, e), *tr.*, relate.
anˈ*gehen (ging, gegangen), *intr.*, (*aux.* ſein), begin. *tr.*, approach, concern.
anˈgenehm (*adj.*), pleasant, agreeable.
Angſt (–, ″e), *f.*, anguish, anxiety; angſt werden, become fearful, anxious.
angſtˈvoll (*adv.*), anxiously.
anˈ*gucken, *tr.*, look at, peep at.
anˈ*hören, *tr.*, listen to, hear.
anˈ*kommen (a, o), *intr.*, (*aux.* ſein), arrive.
anˈ*kündigen, *tr.*, announce.
anˈ*nehmen (nimmt, nahm, genommen), *tr.*, suppose.
anˈ*rühren, *tr.*, touch.
ans = an das.
anˈ*ſehen (ie, a, e), *tr.*, look at.
anſtattˈ (*prep.*), instead of.
anˈ*tun (tat, getan), *tr.*, put on; Gewalt —, to do violence to one's feelings, constrain one's self.
Antˈwort (–, –en), *f.*, answer.
antˈworten, *intr.*, (*dat.*), answer.
anˈ*ziehen (o, o), *tr.*, put on, attract.
Apˈfel (–s, ″), *m.*, apple.
Apˈfelbaum (–es, ″e), *m.*, apple tree.
Appetitˈ ([e]s, –), *m.*, appetite.
Arˈbeit (–, –en), *f.*, work.
arˈbeiten, *intr.*, work, toil.
ärˈgerlich (*adj.*), provoking, angry, vexed.

är'gern, *tr.*, vex, annoy; sich —, be vexed.
arm (*adj.*), (*comp.*, ¨er, *sup.*, ¨st), poor.
Arm (es, –e), *m.*, arm.
Armee' (–, –n), *f.*, army.
Är'mel (s, –), *m.*, sleeve.
Art (–, –en), *f.*, kind, sort.
ar'tig (*adj.*), nice, good, well-behaved.
Asch'enputtel (Aschen, ashes, putteln, shake), *m.*, drudge, Cinderella.
Ast (–es, ¨e), *m.*, bough.
ätzen, *tr. and intr.*, give food, feed.
auch (*adv.*), also, too; — nicht, neither.
auf (*prep., dat. and acc.*), on, upon, to, at; — ein'=mal, all at once.
auf'*essen (i, a, gegessen), *tr.*, eat up.
auf'*fliegen (o, o), *intr.*, (*aux.* sein), fly around.
auf'*geben (ie, a, e), *tr.*, give up.
auf'*halten (ä, ie, a), hold up; sich —, stop, stay.
auf'*heben (o, o), *tr.*, raise, lift up, set aside.
auf'*horchen, *intr.*, listen.
auf'*hören, *intr.*, stop, cease.
auf'*machen, *tr.*, open.
auf'*nehmen (nimmt, nahm, genommen), receive, take in.
aufs = auf das.
auf'*sagen, *tr.*, recite; den Dienst —, dismiss from service.
auf'*schütteln, *tr.*, shake up.
auf'*stehen (stand, gestan=den), *intr.*, (*aux.* sein), get up, arise.
auf'*tun (tat, a), *tr.*, open.
auf'*wecken, *tr.*, awaken.
Au'ge (–s, –n), *n.*, eye.
Au'genblick (–s, –e), *m.*, moment.
aus (*prep. dat.*), out of, from; (*sep. pref.*), out, over, past.
aus'*backen (ä, u, a), *tr.*, bake sufficiently.
aus'*bleiben (ie, ie), *intr.*, (*aux.* sein), remain away.
aus'*finden (a, u), *tr.*, find out.
aus'*fliegen (o, o), *intr.*, (*aux.* sein), fly out.
aus'*geben (i, a, e), *tr.*, give out, edit.
aus'*gehen (ging, gegan=gen), *intr.*, (*aux.* sein), go out.
aus'*halten (ä, ie, a), *intr.*, persevere, hold out.
aus'*löschen, *tr.*, extinguish.
aus'*machen, settle with, pay for.
aus'*rufen (ie, u), *tr.*, exclaim.
aus'*ruhen, sich, rest.
aus'*schicken, *tr.*, send out.
aus'*schütten, *tr.*, pour out.
aus'*sehen (ie, a, e), *intr.*, look, appear.

aus'*ſprechen (i, a, o), *tr.*, pronounce.
aus'*ziehen (o, o), *tr. and intr.*, (*aux.* haben *and* ſein), draw out, set out.
Axt (–, ⁿe), *f.*, ax.

B

Back'ofen (–s, ⁿ), *m.*, oven.
Bad (–es, ⁿer), *n.*, bath.
ba'den, *tr.*, bathe.
bald (*adv.*), soon, almost.
Bal'ken (s, –), *m.*, rafter.
Band (–es, –e), *n.*, tie, fetter, bond, band.
bange (*adj.*), fearful.
Bank (–, ⁿe), *f.*, bench.
Bär (–en, –en), *m.*, bear.
Bart'putzer (–s, –), *m.*, beard cleaner, shaver, barber.
Bau'er (–s *or* –n, –n), *m.*, peasant.
Baum (–es, ⁿe), *m.*, tree.
beant'worten, *tr.*, answer.
bedeck'en, *tr.*, cover.
bedeu'ten, *tr.*, mean.
Bediente[r] (–n, –e *or* –en), *m.*, servant.
Beding'ung (–, –en), *f.*, condition.
bedür'fen (bedarf, bedurfte, bedurft) (*gen.*), need.
Bee're (–, –n), *f.*, berry.
beei'len (ſich), hurry.
Befehl' (–s, –e), *m.*, command.
befeh'len (ie, a, o), *tr.*, order.
befin'den (a, u), ſich, be.
befol'gen, *tr.*, follow.
befrei'en, *tr.*, free, deliver.
bege'ben (i, a, e), ſich, go to a place, happen.
begeg'nen (*dat.*), *intr.*, (*aux.* ſein), meet.
begin'nen (a, o), *tr.*, begin.
begrü'ßen, *tr.*, greet.
behal'ten (ä, ie, a), *tr.*, keep.
behan'deln, *tr.*, treat.
bei (*prep. dat.*, *sep. pref.*), at, by, near, at the home of, with.
bei'de (*adj. pron.*), both, two; alle —, both.
beim = bei dem.
Bein (–es, –e), *n.*, leg.
beinah'e (*adv.*), almost.
beiſam'men (*adv.*), together.
bei'ßen (biß, gebiſſen), *tr.*, bite.
bekannt' (*part.*), known.
Bekann'te, *m. and f.*, acquaintance.
bekom'men (bekam, o), *tr.*, get; *intr.*, (*aux.* ſein), agree with some one, rue it; übel —, smart for.
beküm'mern, ſich, concern one's self with.
bel'len, *intr.*, bark.
beloh'nen, *tr.*, reward.
Beloh'nung (–, –en), *f.*, reward.
bemer'ken, *tr.*, notice.

ereit' (*adj.*), ready.
erei'ten, *tr.*, prepare.
ereits' (*adv.*), already.
Berg (–es, –e), *m.*, mountain.
eru'fen (ie, u), *tr.*, call together.
erühmt' (*adj.*), noted.
eschämt' (*adj.*), ashamed.
eschei'den (*adj.*), modest.
eschenk'en, *tr.*, present with.
eschrei'ben (ie, ie), *tr.*, describe.
Be'sen (–s, –), *m.*, broom.
Besin'nung (–), *f.*, consciousness.
eson'ders (*adv.*), particularly, especially.
esor'gen, *tr.*, take care of.
es'ser (*adj.*, *comp.*), better.
est (*adj.*, *sup.*), best.
estrei'chen (i, i), *tr.*, spread over.
Besuch' (–es, –e), *m.*, visit; auf —, on a visit.
esu'chen, *tr.*, visit.
etrü'ben, *tr.*, trouble, afflict.
Bett (–es, –en), *n.*, bed.
ezah'len, *tr.*, pay.
Bie'ne (–, –n), *f.*, bee.
is (*prep. acc.*), as far as, until; (*conj.*) until.
Bit'te (–, –n), *f.*, request.
it'ten (bat, gebeten), *tr.*, ask, beg; bitte, please.
it'terlich (*adv.*), bitterly.
Blatt (–es, ¨er), *n.*, leaf.
lät'tern, turn the leaves.

blei'ben (ie, ie), *intr.*, (*aux.* sein), remain.
blind (*adj.*), blind.
blitz'schnell (*adj.*), as quick as lightning.
Blu'me (–, –n), *f.*, flower.
Blu'menhecke (–, –n), *f.*, hedge of flowers.
Blut (–es, –), *n.*, blood.
blu'tig (*adj.*), bloody.
Bo'den (–s, ¨), *m.*, ground, attic.
Bo'gen (–s, –), *m.*, sheet of paper.
bö'se (*adj.*), wicked, angry.
bra'ten (ä, ie, a), *tr.*, roast.
brau'chen, *tr.*, use, need.
braun, brown.
brech'en (i, a, o), *tr.*, break.
Brei (–s, –e), *m.*, porridge.
breit (*adj.*), broad, wide.
Brei'te (–, –n), *f.*, width.
Bre'men (–s), *n.*, Bremen.
Bre'mer (*adj.*), [of] Bremen.
bren'nen (brannte, gebrannt), *tr.*, burn.
Brett (–es, –er), *n.*, board.
Brett'chen (–s, –), *n.*, small board.
brin'gen (brachte, gebracht), *tr.*, bring.
Brot (–es, –e), *n.*, bread.
Brot'schieber (–s, –), *m.*, breadshover.
Bru'der (–s, ¨), *m.*, brother.
Brumm'bär (–en, –en), *m.*, grumbler.

Brun'nen (-s, -), *m.*, well.
Büb'lein (-s, -), *n.*, little boy.
bück'en, ſich, stoop, bow.
buſch'ig (*adj.*), bushy.
But'ter, *f.*, butter.

D

da (*adv.*), there, then, here, so; (*conj.*), since.
dabei' (*adv.*), by it, thereby; und — blieb es, and so it was.
Dach (-es, ⸚er), *n.*, roof.
dadurch' (*adv.*), by this means.
dafür' (*adv.*), for it, for that.
dage'gen (*adv.*), against that, on the contrary.
daheim' (*adv.*), at home.
daher' (*adv.*), therefore, hence.
daher'rennen (rannte, gerannt), *intr.*, come running.
dahin' (*adv.*), there, thither.
da'mals (*adv.*), then, in those days.
damit' (*adv.*), therewith; (*conj.*) so that.
danach' (*adv.*), after that.
dank'en, *intr.*, (*dat.*), thank.
dann (*adv.*), then.
daran' (*adv.*), thereon.
darauf' (*adv.*), thereupon.
daraus' (*adv.*), therefrom, out of it.
darin' (*adv.*), therein.
darum' (*adv.*), therefore.
darü'ber (*adv.*), over it.
darun'ter (*adv.*), thereunder, under that.
das, *see* der.
daß (*conj.*), that.
davon' (*adj.*), therefrom, of it, of them.
dau'ern, *intr.*, last.
dazu' (*adv.*), thereto, besides; noch —, in the bargain.
deck'en, *tr.*, set (a table).
dein (*poss.*), thy, thine, your, yours.
den'ken (dachte, gedacht), *tr.*, think. [for
denn (*adv.*), then; (*conj.*)
der, die, das (*def. art.*), the (*dem. pron.*), this, that, he, she, it; — und —, a certain; (*rel. pron.*) who, which, that.
derſel'be, dieſelbe, dasſelbe (*dem.*), the same, he, she, it.
des'halb (*adv.*), on that account.
deſ'to (*adv.*), so much the more so; je ... — ... the ... the ... (*followed by comparative*).
Deutſch, *n.*, German language.
Diamant' (-en, -en), *m.*, diamond.

Diaman'tenberg (-es, -e), *m.*, mountain of diamonds.
dich, thee, you.
dicht (*adj.*), close, thick, dense.
die, *see* der.
Dieb (-es, -e), *m.*, thief.
die'nen, *intr.*, (*dat.*), serve.
Die'ner (-s, -), *m.*, servant.
Dienst (-es, -e), *m.*, service.
die'ser, diese, dieses *or* dies, (*dem.*), this, this one, the latter (*adj.*).
dies'mal (*adv.*), this time.
Ding (es, -e), *n.*, thing.
dir, to you.
doch (*adv.*), though, however, nevertheless, after all; *after imper.*, do.
Dok'tor (-s, -en), *m.*, doctor.
dok'tern (*fam.*), *tr.*, doctor.
Dokterei', *f.*, quackery.
Dorf (-es, ⁿer), *n.*, village.
Dorn (-s, -en), *m.*, thorn.
Dor'nenhecke (-, -n), *f.*, hedge of thorns.
Dorn'hecke, *see* Dornenhecke.
Dorn'röschen (-s, -), *n.*, Sleeping Beauty.
dort (*adv.*), there, yonder.
Dr. = Doktor.
drau'ßen (*adv.*), outside, out of doors.
dre'hen, *tr.*, turn, twirl; herum—, turn around.
drei (*num. adj.*), three.
drei'mal (*adv.*), three times.
drei'zehn (*num. adj.*), thirteen.
drei'zehnt (*adj.*), thirteenth.
drin'gen (a, u), *intr.*, (*aux.* sein), penetrate, come.
drin'gend (*part.*), urgently, particularly pressing.
drin'nen (*adv.*), within, in there.
dritt (*adj.*), third.
drit'tens (*adv.*), thirdly.
dro'hen, *intr. and tr.*, (*dat.*), threaten.
du (*per. pron.*), thou, you.
dumm (*adj.*), stupid.
dunk'el (*adj.*), dark.
dünn (*adj.*), thin.
durch (*prep. acc.*), through.
durch'*dringen (a, u), *intr.*, (*aux.* sein), penetrate.
durch'*essen (i, a, e), sich, eat one's way through.
durch'hauen (hieb, gehauen), cut one's way through.
durch'*schneiden (schnitt, geschnitten), *tr.*, cut through.
dür'fen (darf, durfte, gedurft), (*mod. aux.*), be permitted.
durstig (*adj.*), thirsty.

E

e'ben, just.
e'benso, just as.
Eck'e (-, -n), *f.*, edge.

E'delstein (–es, –e), *m.*, precious stone.
e'her (*adv.*), sooner, rather.
ehr'lich (*adj.*), honorable, honest.
ei (*interj.*), ah.
ei'gen (*adj.*), own, peculiar.
ei'gensinnig (*adj.*), stubborn.
ei'gentlich (*adv.*), really.
Ei'le, *f.*, haste; — mit Weile, *see* Weile.
ei'len, *intr.*, (*aux.* sein), hasten.
ei'lig (*adj.*), hasty; (*adv.*), hastily.
ein, eine, ein (*num. adj., indef. art., and pron.*), one, a, an.
ein (*sep. prefix*), in, into.
einan'der (*recip. pron.*), one another.
Ein'bruch (–s), *m.*, approach of night.
einerlei', es ist mir —, it is all the same to me.
ein'fach (*adj., adv.*), simple, simply.
ein'*fallen (ä, fiel, a), *intr.*, (*aux.* sein), occur to one's mind.
ein'her (*adv., sep. prefix*), along.
ei'nig (*adj.*), united.
ei'nige (*pron. and adj.*), some, a few.
ein'*laden (u, a), *tr.*, invite.
ein'mal (*adv.*), once, one time; auf —, all at once.
einmal' (*adv.*), once upon a time, just; nicht —, not even; noch —, once more.
ein'sam (*adj.*), lonely.
ein'*schlafen (ä, ie, a), *intr.*, (*aux.* sein), fall asleep.
ein'willigen, *intr.*, consent.
ein'zig (*adj.*), only, single.
Eis (–es), *n.*, ice.
Ei'sen (–s, –), *n.*, iron.
ei'sern (*adj.*), of iron.
elf (*num. adj.*), eleven.
elft (*adj.*), eleventh.
Ell'bogen (–s, –), *m.*, elbow.
El'tern (*pl.*), parents.
em'sig (*adj.*), industrious; (*adv.*), industriously.
En'de (–s, –n), *n.*, end.
end'lich (*adj.*), final; (*adv.*), at last.
ener'gisch (*adj.*), energetic.
eng'lisch (*adj.*), English.
Eng'lisch, *n.*, English (language).
entdeck'en, *tr.*, discover.
En'kel (–s, –), *m.*, grandson.
entfer'nen, sich, *intr.*, withdraw.
entfernt' (*part., adj.*), distant.
entschlos'sen (*part., adj.*), resolute, determined.
entschul'digen, sich, *intr.*, excuse one's self.
entsetz'lich (*adj.*), horrible, terrible.

er (*pers. pron.*), he.
erbärm'lich (*adj.*), miserable.
Erd'beere (–, –n), *f.*, strawberry.
Er'de (–, –n), *f.*, earth.
erfah'ren (ä, u, a), *tr.*, ascertain, learn.
erfreu'en, ſich, rejoice.
erfreut', rejoicing.
Erfül'lung (–, –en), *f.*, fullfillment.
erge'hen (erging, ergangen), *intr.*, (*aux.* ſein), betide, fare with; den Befehl — laſſen, give orders.
erhal'ten (ä, ie, a), *tr.*, receive.
erklä'ren, *tr.*, explain.
erlö'ſen, *tr.*, redeem, set free.
ermu'tigend (*part.*), encouraging[ly].
ernen'nen (ernannte, ernannt), *tr.*, appoint.
ernſt'haft (*adj.*), earnest, serious; (*adv.*), earnestly, seriously.
errei'chen, *tr.*, reach, attain.
erſäu'fen, *tr.*, drown.
erſchreck'en (i, a, o), *intr.*, (*aux.* ſein), be frightened.
erſpä'hen, *tr.*, espy, catch sight of.
erſt (*num. adj*), first; (*adv.*), not until.
erſtau'nen, *intr.*, (*aux.* ſein), be surprised.
er'ſtens (*adv.*), first.
ertei'len, *tr.*, give.
ertra'gen (ä, u, a), *tr.*, suffer, endure.
erwach'en, *intr.*, (*aux.* ſein), [wake up.
erwar'ten, *tr.*, expect.
erweck'en, *tr.*, awaken.
erwi'dern, *intr.*, reply.
erzäh'len, *tr.*, relate.
es (*pers. pron.*), it.
E'ſel (–s, –), *m.*, donkey.
eſ'ſen (i, a, e), *tr.*, eat.
Eſ'ſen (–s), *n.*, victuals, meal, dinner, supper.
Eſ'ſenszeit (–, –en), *f.*, dinner time.
Eß'löffel (–s, –), *m.*, table spoon.
Eß'zimmer (–s, –), *n.*, dining room.
et'wa (*adv.*), about, perhaps.
et'was (*indef. pron.*), some, somewhat, anything; ſo —, such a thing.
euch (*pers. pron.*), you.
eu'er (*poss. adj.*), your.
E'wigkeit, *f.*, eternity.

F

Fah'ne (–, –n), *f.*, flag.
fah'ren (ä, u, a), *intr.*, (*aux.* ſein), travel, drive.
fal'len (ä, fiel, a), *intr.*, (*aux.* ſein), fall.
falls (*conj.*), in case.

falsch (*adj.*), false.
Fami'lie (–, –n), *f.*, family.
fan'gen (ä, i, a), *tr.*, catch.
Faß (es, ⁻er), *n.*, barrel.
fas'sen, *tr.*, seize, grasp; sich ein Herz —, pluck up courage.
fast (*adv.*), almost.
faul (*adj.*), lazy.
faul'enzen, *intr.*, idle away one's time. [feather.
Fe'der (–, –n), *f.*, pen,
Fe'derbusch (–es, ⁻e), *m.*, tuft of feathers.
fe'gen, *tr.*, sweep.
feh'len, *intr.*, (*dat.*), lack, ail, be wanting.
fei'ern, *tr.*, celebrate.
fein (*adj.*), nice.
Feind (–es, –e), *m.*, enemy.
Fen'ster (–s, –), *n.*, window.
fern (*adj.*), distant.
Fer'ne (–, –n), *f.*, distance.
Fer'se (–, –n), *f.*, heel.
fer'tig (*adj.*), ready.
fest (*adj.*), firm, solid.
Fest (–es, –e), *n.*, festival.
fest'halten (ä, ie, a), *tr.*, hold firmly.
Feu'er (–s, –), *n.*, fire.
fin'den (a, u), *tr.*, find.
Fin'ger (–s, –), *m.*, finger.
flack'ern, *intr.*, flare, flicker.
flei'ßig (*adj.*), industrious.
Flie'ge (–, –n), *f.*, fly.
Flie'genbeinchen (–s, –), *n.*, fly's leg.
flie'gen (o, o), *intr.*, (*aux.* sein), fly.
flie'hen (o, o), *intr.*, (*aux.* sein), flee.
flie'ßen (o, o), *intr.*, (*aux.* sein), flow.
Flucht, *f.*, flight.
Flü'gel (–s, –), *m.*, wing.
Fluß (–es, ⁻e), *m.*, river.
fol'gen, *intr.*, (*dat.*, *aux.* sein), follow, obey; wie folgt, as follows. [really.
förm'lich (*adv.*), absolutely,
fort (*adv.*, *sep. prefix*), forth, away; in einem —, continually.
fort'*kommen (kam, o), *intr.*, (*aux.* sein), escape, get away.
fort'*laufen (äu, ie, au), *intr.*, (*aux.* sein), run away.
fort'*reiten (i, i), *intr.*, (*aux.* sein), ride away.
Fra'ge (–, –n), *f.*, question.
fra'gen, *tr.*, ask.
Frau (–, –en), *f.*, woman, wife, Mrs.
frei'en, *tr.*, court, woo.
frei (*adj.*), free.
frei'lich (*adv.*), to be sure, certainly.
fremd (*adj.*), strange.
Freu'de (–, –n), *f.*, joy.
freu'dig (*adj.*), joyfully.
freu'en (sich), rejoice.
Freund (–es, –e), *m.*, friend.
freund'lich (*adj.*), friendly, kind.
Frie'de (–ns, –n), *m.*, peace.

frie'ren (o, o), *intr.*, (*aux.* sein), freeze.
froh (*adj.*), glad, happy.
fröh'lich (*adj.*), joyous.
Frosch (–es, ⁼e), *m.*, frog.
Frosch'könig (–s, –e), *m.*, frog-king.
früh (*adj.*), early.
frü'her (*adj.*), former; (*adv.*), formerly.
Früh'ling (–s, –), *m.*, spring.
Früh'stück (–s, –e), *n.*, breakfast.
Fuchs (–es, ⁼e), *m.*, fox.
Fu'der (–s, –), *n.*, wagon-load.
füh'ren, *tr.*, lead, guide.
Füh'rer (–s, –), *m.*, guide.
fül'len, *tr.*, fill.
fünf (*num. adj.*), five.
fünft (*adj.*), fifth.
fünf'zehnt, fifteenth.
fünf'zig, fifty.
für (*prep. acc.*), for.
fürch'ten, sich, fear, be afraid.
Fürst (–en, –en), *m.*, prince.
Fuß (–es, ⁼e), *m.*, foot.
Fuß'boden (–s, ⁼), *m.*, floor.
Fut'ter (–s), *n.*, food.
füt'tern, *tr.*, feed.

G

Gabe (–, –n), *f.*, gift.
Gang (–es, ⁼e), *m.*, walk, passage way.
ganz (*adj.*), whole, entire; (*adv.*), quite.
gar (*adv.*), quite done, altogether; — nicht, not at all; — nichts, nothing at all.
Garn (–es, –e), *n.*, yarn.
gar'stig (*adj.*), ugly, dirty.
Gar'ten (–s, ⁼), *m.*, garden.
Gast (–es, ⁼e), *m.*, guest.
gebä'ren (ie, a, o), *tr.*, bear, bring forth.
ge'ben (ie, a, e), *tr.*, give; es gibt, there is, there are.
gebra'ten (*part.*), *see* braten.
Gebra'tenes (*part.*), *n.*, roasts.
Gebraus' (–es), *n.*, rushing, roaring.
gebüh'ren, sich, owe, be fitting.
Geburt' (–, –en), *f.*, birth.
Geburts'tag (–es, –e), *m.*, birthday.
Gedank'e (–ns, –n), *m.*, thought.
gedeckt' (*part.*), set, spread.
gefal'len (ä, gefiel, a), *intr.*, (*dat.*), please.
ge'gen (*prep. acc.*), against. towards, in comparison with.
Ge'gend (–, –en), *f.*, region.
ge'hen (ging, gegangen), *intr.*, (*aux.* sein), walk, go; dir gut —, be well with you.

Gehölz' (–es, –e), *n.*, woods, thicket.
gehor'chen, *tr.*, obey.
gehö'ren, *intr.*, (*dat.*), belong to.
gehor'sam (*adj.*), obedient.
gelan'gen, *intr.*, (*aux.* sein), arrive at.
Geld (–es, –er), *n.*, money.
Geld'summe (–, –n), *f.*, sum of money.
Gemah'lin (–, –nen), *f.*, wife.
Gemü'se (–s, –), *n.*, vegetables.
genau' (*adj.*), exact; (*adv.*) exactly.
General' (–s, ⁿe), *m.*, general.
genug' (*adv.*), enough.
gera'de (*adj.*), straight; (*adv.*) just, precisely.
geradezu' (*adv.*), straight forward, directly.
gering' (*adj.*), small; im gering'sten, in the least.
gern[e] (*adv.*), willingly, gladly; — haben, like to have; — sein, like to be; — spinnen, like to spin; — wollen, want to be.
gesagt', getan', no sooner said than done.
Gesang' (–es, ⁿe), *m.*, song.
gesche'hen (ie, a, e), *intr.*, (*aux.* sein), happen, take place.
Geschich'te (–, –n), *f.*, history, story, affair.
Geschrei' ([e]s, –e), *n.*, scream, cry.
geschwind' (*adj.*), quick; (*adv.*) quickly.
Gesell'[e] (–n, –n), *m.*, companion.
Gesel'lin (–, –nen), *f.*, companion.
Gesell'schafter (–s, –), *m.*, companion.
Gesicht' (–es, –er), *n.*, face.
Gesot'tenes, *n.*, stew.
Gespenst' (–[e]s, –er), *n.*, ghost.
gestat'ten, *tr.* (*dat.*), allow, permit.
geste'hen (gestand, gestanden), *tr.*, confess.
ges'tern (*adv.*), yesterday.
gesund'(*adj.*), well, healthy.
Getier' (–es), *n.*, animals, beasts.
Gewalt' (–, –en), *f.*, force, power; sich — an'tun, force one's self.
gewal'tig (*adj.*), powerful.
gewin'nen (a, o), *tr.*, win.
gewiß' (*adj.*), certain; (*adv.*) certainly.
gewöhn'lich (*adj.*), usual, ordinary, customary.
gie'ßen (o, o), *tr.*, pour.
glau'ben, *tr.*, believe.
gleich (*adj.*), like; (*adv.*) immediately, equally; — lieb haben, like equally well; mir —, all one to me.
Glied (–es, –er), *n.*, limb.

Glück (–es), *n.*, good fortune, luck, happiness; zum —, fortunately, luckily.
glück'en, *intr.*, (*aux.* ſein *or* haben), succeed.
glücklich (*adj.*), happy.
Göck'elhahn (–es, ¨e), *m.*, house cock.
Gold (–es), *n.*, gold.
gol'den (*adj.*), golden.
Gold'regen (–s, –), *m.*, shower of gold.
Gold'ſtück (–es, –e), *n.*, gold coin. [gift of God.
Got'tesgabe (–, –n), *f.*,
grä'men, ſich, grieve.
Gre'te, Margaret; Gre'tel, Maggie. [dreadful.
greu'lich (*adj.*), abominable,
groß (*adj.; comp.*, ¨er, *sup.*, größt), great, large, big.
Groß'vater (–s, ¨), *m.*, grandfather.
grün (*adj.*), green.
Grund (–es, ¨e), *m.*, ground, bottom.
grü'ßen, *tr.*, greet.
guck'en, *intr.*, peep.
gut (*adj.; comp.*, beſ'ſer, *sup.*, be)), good; (*adv.*), well.

H

Haar (–es, –e), *n.*, hair.
haar'klein, minutely.
ha'ben (hatte, gehabt), *tr.*, have.
hack'en, *tr.*, chop.
Hahn (–es, ¨e), *m.*, cock.
Hal'le (–, –n), *f.*, hall.
Hals (–es, ¨e), *m.*, neck; aus vollem —e, at the top of the voice; es geht uns bald an den —, we shall soon hang for that.
hal'ten (ä, ie, a), *tr.*, hold, keep; Wort —, keep one's word; — für, consider; ſich —, hold out.
Ham'mer (–s, ¨), *m.*, hammer.
häm'mern, *tr.*, hammer; darauf los —, hammer with all one's might.
Hand (–, ¨e), *f.*, hand.
hang'en (ä, i, a), *intr.*, hang, cling.
häng'en (i, a, *or* hängte, gehängt), *tr.*, hang, suspend.
hart (*adj.; comp.*, ¨er, *sup.*, ¨eſt), hard.
häß'lich (*adj.*), ugly.
haſ'tig (*adj.*), hastily.
hau'en (hieb, gehauen), *tr.*, chop. [heap.
Hau'fe[n] (–ns, –n), *m.*,
Haus (–es, ¨er), *n.*, house; zu Hauſe, at home; nach Hauſe, home; von Hauſe aus, by nature.
Häus'chen (–s, –), *n.*, small house.
Haus'knecht (–s, –e), *m.*, servant, hostler.
Haus'tür (–, –en), *f.*, front door.

Heck'e (–, –n), *f.*, hedge.
hef'tig (*adj.*), violent, vehement; (*adv.*), violently.
heim (*adv.*), home.
Heim (–es, –e), home.
Heim'fahrt (–, –en), *f.*, homeward journey.
heim'*fliegen (o, o), *intr.*, (*aux.* sein), fly home.
Heim'reise, *f.*, homeward journey.
Heim'weh (–s), *n.*, homesickness.
Hein'rich (–s), *m.*, Henry.
hei'raten, *tr.*, marry.
heiß (*adj.*), hot.
hei'ßen (ie, ei), *tr.*, bid, call; *intr.*, be called, mean.
hel'fen (i, a, o), *intr.*, (*dat.*), help.
her (*adv. and sep. pref.*), hither.
heran' (*adv. and sep. pref.*), up, on, forward.
heran'*kommen (kam, o), *intr.*, (*aux.* sein), approach.
herauf' (*adv.*), up.
herauf'*holen, *tr.*, fetch up.
her'aus (*adv. and sep. pref.*), out, forth.
heraus'*finden (a, u), *tr.*, find out. [out.
heraus'*hüpfen, *intr.*, hop
heraus'*kommen (kam, o), *intr.*, (*aux.* sein), come out.
heraus'*ziehen (zog, gezogen), *tr.*, draw *or* pull out; *intr.*, (*aux.* sein), depart.
herbei' (*adj. and sep. pref.*), hither.
Her'berge (–, –n), *f.*, inn, shelter.
Herd (–es, –e), *m.*, hearth.
herein' (*adv. and sep. pref.*), in.
herein'*kommen (kam, o), *intr.*, (*aux.* sein), come in.
herein'*lassen (ä, ie, a), *tr.*, admit.
her'*holen, *tr.*, fetch.
her'*kommen (kam, o), *intr.*, (*aux.* sein), come from.
Herr (–n, –en), *m.*, gentleman, master, Mr.
Her'rin (–, –nen), *f.*, mistress.
herr'schen, *tr.*, reign, prevail.
herum' (*adv. and sep. pref.*), around.
herun'ter (*adv. and sep. pref.*), down, downwards.
herun'ter*hängen (ä, i, a), *intr.*, hang down.
herun'ter*lassen (ä, ie, a), *tr.*, let down.
hervor' (*adv. and sep. pref.*), forth, out.
Herz (–ens, –en), *n.*, heart; *see* fassen.
Her'zeleid, *n.*, sorrow.
Her'zensangst, *f.*, anguish.
Her'zenslust, *f.*, great joy;

nach —, to their heart's content.

herzu (*adv. and sep. pref.*), hither, near.

heu'te (*adv.*), to-day; — abend, this evening.

He'xe (–, –n), *f.*, witch.

hie (*adv.*), here.

hier (*adv.*), here.

Hil'fe, *f.*, help.

Him'mel (–s, –), *m.*, heaven.

hin (*adv. and sep. pref.*), thither, there; — und her, to and fro, hither and thither.

hinab' (*adv. and sep. pref.*), down.

hinauf' (*adv. and sep. pref.*), up.

hinauf'*bringen (brachte, gebracht), *tr.*, bring up.

hinaus' (*adv. and sep. pref.*), out, outside.

hinaus'*schauen, *intr.*, look out.

hinaus'*sehen (ie, a, e), *intr.*, look out.

hindurch' (*adv.*), through.

hindurch'*gehen (ging, gegangen), *intr.*, (*aux.* sein), go through.

hindurch'*sehen (ie, a, e), *intr.*, look through.

hinein' (*adv. and sep. pref.*), in, into.

hinein'*gehen (ging, gegangen), *intr*,. (*aux.* sein), go in.

hin'*gehen (ging, gegangen), *intr.*, (*aux.* sein), walk along, go thither.

hink'en, *intr.*, limp.

hin'ter (*prep. acc. and dat.*), behind.

hinterdrein' (*adv.*), behind, following.

Hin'terfuß (–es, ⁿe), *m.*, hind foot.

Hin'tertür[e] (–, –n), *f.*, back door.

hinü'ber (*adv. and sep. pref.*), over, across.

hinun'ter (*adv. and sep. pref.*), down.

hinun'terfallen (ä, fiel, a), *intr.*, (*aux.* sein), fall down.

hinweg' (*adv.*), away, off, be gone!

Hirsch (–es, –e), *m.*, deer.

Hirt (–en, –en), *m.*, shepherd.

Hir'tenbüblein (–s, –), *n.*, Hir'tenknabe (–n, –n), *m.*, shepherd boy.

hoch (*adj.; comp.*, höher; *sup.*, höchst), high.

Hoch'zeit (–, –en), *f.*, wedding.

Hoch'zeitsfest (–es, –e), *n.*, wedding feast.

Hof (–es, ⁿe), *m.*, yard, court.

Hof'staat (–es), *m.*, household of a prince.

Hof'leute, *m.*, courtiers.

hof'fen, *tr. or intr.*, hope.

höf'lich (*adj.*), polite.

Hö'he (–, –n), *f.*, height; in die — gehen, rise; in die — ziehen, raise.

Höh'le (–, –n), *f.*, cavern, den.

ho'len, *tr.*, get, fetch.

Holz (–es, ⁼er), *n.*, wood.

höl'zern (*adj.*), of wood, wooden.

hö'ren, *tr.*, hear.

Hor'nis (–, –sen), *f.*, hornet.

hu! (*interj.*), ugh!

hübsch (*adj.*), pretty.

Huf (–es, –e), *m.*, hoof.

Huf'eisen (–s, –), *n.*, horseshoe.

Huf'eisenna'gel (–s, ⁼), *m.*, horeshoe nail.

Huhn (–es, ⁼er), *n.*, chicken.

Hund (–es, –e), *m.*, dog.

hun'dert (*num. adj.*), hundred.

hun'dertjährig (*num. adj.*), hundred years old.

Hung'er (–s, –), *m.*, hunger.

hung'rig (*adj.*), hungry.

hüp'fen, *intr.*, hop, jump.

hü'ten, *tr.*, guard, watch; (*refl.*) be on one's guard.

I

ich (*pers. pron.*), I.

ihm (*pers. pron.*), to him.

ihn (*pers. pron.*), him, it.

ihr (*pers. pron.*), to her, you, her, their.

Ih'nen (*pers. pron.*), to you.

ih'nen (*pers. pron.*), to them.

Ihr (*pers. pron.*), your.

im = in dem.

im'mer (*adv.*), always; — noch, still.

immerfort' (*adv.*), continually.

in (*prep. dat. and acc.*), in, into.

indem' (*conj.*), while, since.

indes'sen (*adv.*), in the meanwhile.

In'halt (–s), *m.*, contents.

in'ne*halten (ä, ie, a), *intr.*, stop.

ir'den (*adj.*), earthen.

J

ja (*adv.*), yes; you know, why, indeed.

Jagd., *f.*, chase, hunting.

Jagd'hund (–es, –e), *m.*, hound.

ja'gen, *tr.*, hunt.

Jahr (–es, –e), *n.*, year; vor —en, years ago.

Jam'mer (–s), *m.*, misery; *see* kriegen.

jam'merschade (*adj.*), it is a great pity.

jam'mern, *intr.*, lament.

jap'pen, *intr.*, gasp, pant.

je (*adv.*), ever; je — desto, the — the.

je'der, je'de, je'des (*dem. pron. and adj.*), each, every; each one.

'desmal, every time.
edoch', yet, however.
'mand (*indef. pron.*), some one.
tzt (*adv.*), now.
ung (*adj.; comp.*, ¨er; *sup.*, ¨st,), young.
ung'e (–n, –n), *m.*, boy, lad.
un'ge (–n, –n), *n.*, young one.
ung'frau (–, –en), *f.*, maid, Miss.
ist (*adv.*), just now.

K

lt (*adj.; comp.*, ¨er; *sup.*, ¨est), cold.
äl'te, *f.*, cold.
amerad' (–en, –en), *m.*, companion.
am'mer (–, –n), *f.*, chamber.
äm'merlein (–s, –), *n.*, small room.
atz'e (–, –n), *f.*, cat.
u'fen, *tr.*, buy.
auf'mann (–es, Kaufleute), *m.*, merchant.
um (*adv.*), scarcely.
h'ren, *tr.*, sweep, turn; kehrt machen, turn around.
in (*adj.*), no, none, not any.
'neswegs (*adv.*), by no means.

Kel'ler (–s, –), *m.*, cellar.
ken'nen (kannte, gekannt), *tr.*, know.
Kes'sel (–s, –), *m.*, kettle.
Kikeriki', *n.*, cock-a-doodle-doo.
Kind (–es, –er), *n.*, child.
kla'gen, *intr.*, complain, lament.
Kleid (–es, –er), *n.*, dress.
Klei'dung, *f.*, clothing.
klein (*adj.*), small.
klet'tern, *intr.*, (*aux.* haben *or* sein), climb.
klop'fen, *tr.*, knock, beat.
klug (*adj.; comp.*, ¨er; *sup.*, ¨st), wise, shrewd.
Kna'be (–n, –n), *m.*, boy.
Knecht (–es, –e), *m.*, servant.
Knie (–[e]s, –[e]), *n.*, knee.
Koch (–es, ¨e), *m.*, cook.
koch'en, *tr.*, cook.
Köch'in (–, –nen), *f.*, cook.
Koh'le (–, –n), *f.*, coal.
kom'men (kam, o), *intr.*, (*aux.* sein), come, happen, du kommst mir recht, that won't go down with me; — zu, acquire.
ko'misch (*adj.*), comical.
kommandie'rend (*part.*), commanding.
Kö'nig (–s, –e), *m.*, king.
Kö'nigin (–, –nen), *f.*, queen.
Kö'nigskind (–es, –er), *n.*, child of a king.

kö'niglich (*adj.*), royal.

Kö'nigssohn (–es, ¨e), *m.*, prince.

Kö'nigstochter (–, ¨), *f.*, princess.

kön'nen (kann, konnte, gekonnt), be able, know how, can; was ihr könnt, as fast as possible, with all one's might.

Kopf (–es, ¨e), *m.*, head.

Korb (–es, ¨e), *m.*, basket.

Körb'chen (–s, –), *n.*, Körb'lein (–s, –), *n.*, little basket.

krach'en, *tr.*, crack, crash.

kräf'tig (*adv.*), vigorously.

Kra'gen (–s, ¨), *m.*, collar; an den — gehen, be a matter of life and death.

krä'hen, *intr.*, crow.

krank (*adj.*; *comp.*, ¨er; *sup.*, ¨st), sick.

kratz'en, *tr.*, scrape, scratch.

Krebs (–es, –e), *m.*, crab.

krie'chen (o, o), *intr.*, (*aux.* sein), creep.

Krieg (–es, –e), *m.*, war.

krie'gen *tr.*, get; den Jammer nach Hause kriegt (*for* gekriegt), be terribly homesick.

Kro'ne (–, –n), *f.*, crown.

Krö'te (–, –n), *f.*, toad.

Krug (–es, ¨e), *m.*, pitcher.

Kü'che (–, –n), *f.*, kitchen.

Kü'chenjunge (–n, –n), *m.*, scullion.

Ku'gel (–, –n), *f.*, ball, bullet.

kühl (*adj.*), cool.

Kum'mer (–s), *m.*, sorrow.

küm'mern, sich, trouble one's self about.

Kun'de, *f.*, news, rumor.

Kund'schafter (–s, –), *m.*, spy, explorer.

Kunst (–, ¨e), *f.*, art, skill.

kurz, short.

kurzum' (*adv.*), in short.

Kuß (–es, ¨e), *m.*, kiss.

küs'sen, *tr.*, kiss.

Kut'scher (–s, –), *m.*, coachman.

L

la'chen, *intr.*, laugh.

lahm (*adj.*), lame.

Land (–es, –e *or* ¨er), *n.*, land.

lang (*adj.*; *comp.*, ¨er; *sup.*, ¨st), long.

lang'e (*adv.*), long.

lang'sam (*adj.*), slow; (*adv.*), slowly.

längst (*adv.*), long since.

lär'men, *intr.*, make a noise.

las'sen (ä, ie, a), *tr.*, let, leave, allow, cause; kommen —, send for.

lau'fen (äu, ie, au), *intr.* (*aux.* sein), run.

laut, loud.

Lau'te (–, –n), *f.*, lute.

lau'ten, *intr.*, sound, purport, run.

lau'ter (*adj.*), pure; (*adv.*), nothing but.

Le'ben (–s), *n.*, life.
le'ben, *intr.*, live.
le'bensmüde (*adj.*), tired of [life.
Leb'zeiten (*pl.*), lifetime.
Le'der (–s, –), *n.*, leather.
Leib (–es, –er), *m.*, body.
Lei'beskraft (–, ⁿe), *f.*, bodily strength; aus Leibeskräften, with all one's strength.
leicht (*adj.*), easy, light.
Leid, *n.*, sorrow; leid tun, give sorrow; es tut mir leid, I am sorry.
lei'den (litt, gelitten), *tr.*, suffer, endure, stand.
lei'der (*adv.*), alas, unfortunately.
lei'se (*adj.*), low, soft; (*adv.*) softly.
letzt (*adj.*), last.
Leu'te (*pl.*), people.
Licht (–es, –er), *n.*, light.
lieb (*adj.*), dear; — haben, like.
lie'ben, *tr.*, love.
lie'ber (*adv. comp.*), rather; ich habe —, I prefer.
lieb'lich (*adj.*), charming.
liebst, am liebsten (*adv.*), best.
lie'fern, *tr.*, furnish; eine Schlacht —, fight a battle.
lie'gen (a, e), *intr.*, lie.
link (*adj.*), left.
links (*adv.*), to the left,
lis'tig (*adj.*), cunning,
Loch (–es, ⁿer), *n.*, hole.
Löf'fel (–s, –), *m.*, spoon.
los (*adj.*), loose, free, rid of; was ist —, what is the matter? —marschie'ren, rush upon, pitch into; *see* hämmern.
los'*werden (i, a *or* wurde, o), *tr.*, get rid of.
Luft (–, ⁿe), *f.*, air.
Lust (–, ⁿe), *f.*, joy, desire; als ob ich — hätte, as though I wanted; — haben, to have a desire.
lus'tig (*adj.*), merry; sich — machen, enjoy one's self.

M

mach'en, *tr.*, make, do; sich auf den Weg —, start.
Mäd'chen (–s, –), *n.*, girl, maiden, maidservant.
Mä'del (–s, –), *n.*, girl, lass.
Magd (–, ⁿe), *f.*, maidservant.
Mägd'lein (–s, –), *n.*, [little] girl.
Mal (–es, –e), *n.*, time.
mal = einmal.
man (*indef. pron.*), one, they.
manch (*pron. and adj.*), many, many a.
Mann (–es, ⁿer), *m.*, man.
Männ'lein (–s, –), *n.*, little man.

Man'telsack (–s, ⁿe), *m.*, portmanteau.
Mär'chen (–s, –), *n.*, fairy-tale, story.
Mark (–es, –), *n.*, marrow; es geht einem förmlich durch — und Bein, it goes to one's very marrow.
marschie'ren, *intr.*, (*aux.* sein), march.
Maus (–, ⁿe), *f.*, mouse.
Meer (–es, –e), *n.*, ocean.
mehr (*adj.*), more; nicht —, no longer.
meh'rere, several.
Mei'le (–, –n), *f.*, mile.
mein (*poss. pron. and adj.*), my, mine.
mei'nen, *tr.*, mean, think.
mei'nigen (*pl.*), my people.
meist, *see* viel.
Mensch (–en, –en), *m.*, man, human being, people.
mer'ken, *tr.*, notice.
Mes'se (–, –n), *f.*, fair.
Mes'ser (–s, –), *n.*, knife.
miau' (*interj.*), mew! miau!
miau'en, *intr.*, mew.
mich (*pers. pron.*), me.
Milch, *f.*, milk.
mil'dern, *tr.*, soothe, soften.
mir (*pers. pron.*), to me, for me.
Mist, *m.*, manure, dung.
mit (*prep. dat.*), with; (*sep. pref.*), along.
mit*an'*hören, *tr.*, hear.
mit'*bringen (brachte, gebracht), *tr.*, bring along.
miteinan'der (*adv.*), together.
mit'*essen (i, aß, gegessen), eat (in company) with one.
Mit'leid (–s, –), *n.*, compassion.
mit'leidig (*adj.*), compassionate.
mit'*nehmen (nimmt, a, o), take along.
Mit'tag (–s, –e), *m.*, noon.
Mit'te, *f.*, middle, midst.
mit'*teilen, *tr.*, tell, communicate.
mit'ten (*adv.*), in the midst.
Mit'ternacht (–, ⁿe), *f.*, midnight.
mit'*trinken (a, u), drink (in company) with one.
mö'gen (mag, mochte, gemocht), may, might, like; möchte gern, should like.
mög'lich, possible; versuchte sein Möglichstes, did his best.
Mor'gen (–s, –), *m.*, morning, morrow; heute morgen, this morning.
mor'gen (*adv.*), to-morrow.
mor'gens (*adv.*), in the morning.
Mück'e (–, –n), *f.*, gnat.
mü'de (*adj.*), tired, weary.
Müh'le (–, –n), *f.*, mill.
Mül'ler (–s, –), *m.*, miller.

Mund (-es, ⁼e), *m.*, mouth.
mun'ter (*adj.*), lively, cheerful.
Musik', *f.*, music.
Musikant' (-en, -en), *m.*, musician.
müs'sen (muß, mußte, gemußt), must, be obliged.
Mut'ter (-, ⁼), *f.*, mother.
Müt'terchen (-s, -), *n.*, old woman, dame, dear mother.

N

nach (*adv. and sep. pref.*), after; (*prep. dat.*), towards, after, to.
nachdem' (*conj.*), after.
nacheinan'der (*adv.*), one after another.
nach'lässig (*adj.*), careless, negligent.
Nach'mittag (-s, -e), *m.*, afternoon.
nächst (*adj., sup.*), next, nearest.
Nacht (-, ⁼e), *f.*, night.
Nacht'wächter (-s, -), *m.*, night watchman.
Na'gel (-s, ⁼), *m.*, nail, peg.
na'geln, *tr.*, nail.
na'he (*adj.; comp.*, ⁼er; *sup.*, nächst), near.
na'hen (*intr. aux.*, sein), approach.
Na'me (-ns, -n), *m.*, name.
näm'lich (*adv.*), namely.
natür'lich (*adj.*), natural.
ne'ben (*prep. dat. and acc.*), beside.
neh'men (nimmt, nahm, genommen), *tr.*, take.
nei'disch (*adj.*), envious.
nei'gen, *tr.*, incline, bow.
nein (*adv.*), no.
nen'nen (nannte, genannt), *tr.*, call, name.
Nest (-es, -er), *n.*, nest.
Nest'chen (-s, -), *n.*, small nest.
nett (*adj.*), nice, neat.
neu (*adj.*), new.
nicht (*adv.*), not; — mehr, no more.
nichts (*pron.*), nothing.
nick'en, *intr.*, nod.
nie (*adv.*), never.
nie'der (*adj.*), low; (*adv. and sep. pref.*) down.
nie'drig (*adj.*), low.
nie'mals (*adv.*), never.
nie'mand (*pron.*), nobody.
nimmermehr' (*adv.*), nevermore.
nir'gends (*adv.*), nowhere.
noch (*adv.*), yet, still, besides, more; — nicht, not yet; immer —, still; (*conj.*) or, nor; — ein'mal, once more.
nun (*adv.*), well, now.
nur (*adv.*), only; (*with imper*), just.

O

o! (*interj.*), O! oh!
ob (*conj.*), whether, I wonder whether; als —, as though, as if; — ... gleich, *see* obgleich.
o'ben (*adv.*), above.
obgleich' (*conj.*), although.
Ochs (–en, –en), *m.*, ox.
o'der (*conj.*), or.
O'fen (–s, ¨), *m.*, stove.
of'fen (*adj.*), open.
öff'nen, *tr.*, open; ſich —, open.
oft (*adv.*), often.
öf'ters (*adv.*), often.
oft'mals (*adv.*), often, oftentimes.
oh'ne (*prep. acc.*), without.
Ohr (–es, –en), *n.*, ear.
or'dentlich (*adj.*), orderly, decent.
Ort (–es, –e *or* ¨er), *m.*, place.

P

paar (ein), a few.
Packan' (–s, –), *m.*, Holdfast.
pack'en, *tr.*, seize, pack; ſich —, go off.
Palaſt' (–s, ¨e), *m.*, palace.
Papier' (–s, –e), *n.*, paper.
Papier'kleid (–es, –er), *n.*, paper dress.
Paro'le (–, –n), *f.*, watchword, orders.
paſ'ſen, *intr.*, fit, watch.
Pau'ke (–, –n), *f.*, big drum, kettle drum.
Pech, *n.*, pitch.
Per'le (–, –n), *f.*, pearl.
Pfad (–es, –e), *m.*, path.
Pferd (–es, –e), *n.*, horse.
pflück'en, *tr.*, pluck, gather.
Platz (–es, ¨e), *m.*, place, room.
plötz'lich (*adj.*), sudden; (*adv.*) suddenly.
präch'tig (*adj.*), splendid.
Preis (–es, –e), *m.*, price.
Prinz (–en, –en), *m.*, prince.
Prinzeſ'ſin (–, –nen), *f.*, princess.
probie'ren, *tr.*, try, taste.
prophezei'en, *tr.*, prophesy, foretell.
pſt! (*interj.*), hush! still!
Punkt (–es, –e), *m.*, dot.

Q

Qual (–, –en), *f.*, torment.
Que're, *f.*, oblique direction; jemand in die — kommen, thwart one's purpose.

R

Rand (–es, ¨er), *m.*, edge.
raſch (*adj.*), swift; (*adv.*) swiftly.
raſt'en, *intr.*, rest repose.

Rat (–es, Ratschläge), *m.*, advice, counsel.
ra'ten (rät, ie, a), *intr.*, (*dat.*), advise; *tr.*, guess.
Rat'te (–, –n), *f.*, rat.
Räu'ber (–s, –), *m.*, robber.
Räu'berherberge (–, –n), *f.*, den of robbers.
'raus, *see* heraus.
Recht (–es, –e), *n.*, right; recht haben, be right.
recht (*adj.*), right, quite, own; du kommst mir —, that won't go down with me; erst —, all the more.
rechts (*adv.*), to the right.
re'gen, *tr.*, stir, move.
Re'genwetter (–s), *n.*, rainy weather.
reg'nen, *intr. and tr.*, rain.
Reh (–es, –e), *n.*, roe.
reich (*adj.*), rich.
Reich (–es, –e), *n.*, kingdom.
Reich'tum (–s, ⁿer), *m.*, riches.
reif (*adj.*), ripe.
Rei'se (–, –n), *f.*, journey.
rei'sen, *intr.*, (*aux.* sein), travel.
Rei'sende (–n, –n), *m.*, traveler.
rei'ten (ritt, geritten), *intr.*, (*aux.* sein *and* haben), ride.
ren'nen (rannte, gerannt), *intr.*, (*aux.* sein *and* haben), run.
Rich'ter (–s, –), *m.*, judge.
rich'tig (*adj.*), right; (*adv.*) sure enough.
rie'chen (o, o), *intr.*, smell.
Rie'se (–n, –n), *m.*, giant.
Rind (–es, –er), *n.*, ox, cow; *pl.*, cattle.
ringsum' (*adv.*), all round, all about.
Rip'pe (–, –n), *f.*, rib.
rol'len, *tr.*, roll.
Roß (–sses, –sse), *n.*, steed.
rot (*adj.*), red.
Rot'kopf (–es, ⁿe), *m.*, redhead.
Rück'en (–s, –), *m.*, back.
ru'fen (ie, u), *tr.*, call.
Ru'he (–), *f.*, rest.
ru'hen, *intr.*, rest.
ru'hig (*adj.*), quiet.
rüh'ren, *tr.*, touch.

S

Sach'e (–, –n), *f.*, thing, affair.
Sack (–es, ⁿe), *m.*, sack, bag.
Saft (–es, ⁿe), *m.*, juice.
Sa'ge (–, –n), *f.*, legend, tale.
sa'gen, *tr.*, say.
sanft (*adj.*), gentle, soft.
satt (*adj.*), satisfied; ich bin —, I can eat no more.
scha'de (*adj.*), es ist —, it is too bad.

schaden, *intr.*, (*dat.*), harm some one.
Schaf (–es, –e), *n.*, sheep.
schämen, sich, be ashamed.
Schande, *f.*, disgrace, shame; Sünd' und Schand', it is a thousand pities!
scharf (*adj.*), sharp.
Schatten (–s, –), *m.*, shade, shadow.
schauen, *tr.*, look at, gaze.
Schaukelstuhl (–es, ⁻e), *m.*, rockingchair.
scheinen (ie, ie), *intr.*, shine.
schelten (i, a, o), *tr.*, scold.
schenken, *tr.*, present with, give.
scherzen, *intr.*, jest.
schicken, *tr.*, send.
Schild (–es, –er), *n.*, sign.
Schild (–es, –e), *m.*, shield.
Schlacht (–, –en), *f.*, battle.
Schlaf (–[e]s), *m.*, sleep.
schlafen (ä, ie, a), *intr.*, sleep.
Schläfer (–s, –), *m.*, sleeper.
schläfrig (*adj.*), sleepy.
Schlag (–es, ⁻e), *m.*, blow, stroke.
schlagen (ä, u, a), *tr.*, beat.
schlau (*adj.*), sly.
schlecht (*adj.*), bad.
schlimm (*adj.*), bad.
Schlitten (–s, –), *m.*, sled, sleigh.
Schloß (–es, ⁻er), *n.*, castle.
Schluck (–es, –e *or* ⁻e), *m.*, swallow, draught.
schmecken, *tr.*, taste; *intr.*, taste good.
Schmied (–es, –e), *m.*, smith.
schmutzig (*adj.*), dirty.
Schnabel (–s, ⁻), *m.*, beak.
Schnee (–s), *m.*, snow.
Schneeflocke (–, –n), *f.*, flakes of snow.
schneeweiß (*adj.*), white as snow.
schneiden (schnitt, geschnitten), *tr.*, cut.
schneien, *intr.*, snow.
schnell (*adj.*), quick; (*adv.*), quickly.
schnurren, *intr.*, hum, buzz, whir.
schon (*adv.*), already, merely, certainly; — gut, all right.
schön (*adj.*), beautiful, handsome.
Schönheit, *f.*, beauty.
Schreck (–es, –e), *m.*, terror, fear.
Schrecken (–s, –), *m.*, terror.
schrecklich (*adj.*), terrible.
schreiben (ie, ie), *tr.*, write.
schreien (ie, ie), (*intr. and tr.*), scream.
Schuh (–es, –e), *m.*, shoe.
Schuld, *f.*, blame; schuld haben, be to blame.
Schulter (–, –n), *f.*, shoulder.

Schüſ'ſel (–, –n), *f.*, dish.
ſchüt'teln, *tr.*, shake.
ſchwach (*adj.*), weak, feeble.
Schwan (–es, "e), *m.*, swan.
Schwanz (–es, "e), *m.*, tail.
ſchwär'men, *intr.*, swarm.
ſchwätz'en *and* ſchwatzen, *intr.*, talk, chatter.
Schwe'felhölzchen (–s, –), *n.*, match.
ſchwer (*adj.*), heavy, difficult, hard.
ſchwin'gen (a, u), *intr.*, swing.
ſechs (*num. adj.*), six.
ſe'hen (ie, a, e), *tr.*, see.
ſehr (*adv.*), very, very much.
ſein (*poss. pron. and adj.*), his, its.
ſein (war, geweſen), *intr.*, *aux.* ſein), be.
ſeitdem' (*conj.*), since; (*adv.*) since then.
Sei'te (–, –n), *f.*, page.
Sekun'de (–, –n), *f.*, second.
ſel'ber (*pron.*), self.
ſelbſt (*pron.*), self.
ſelt'ſam (*adj.*), strange, odd.
ſetz'en, *tr.*, set; (*refl.*) sit down.
ſeuf'zen, *intr.*, sigh.
ſich (*refl. pron., dat. and acc., sing. and pl.*), himself, herself, itself, themselves; each other.
ſich'er (*adj.*), safe, certain.
ſie (*pron.*), she, her, they, them, it.
Sie (*pron.*), you.
Sil'ber (–s), *n.*, silver.
ſin'gen (a, u), *tr.*, sing.
ſitt'ſam (*adj.*), modest.
ſitz'en (ſaß, geſeſſen), *intr.*, sit.
ſo (*adv.*), so, thus; then; — etwas, such a thing; — ein, such.
ſobald' (*conj.*), as soon as.
ſoe'ben (*adv.*), just now.
So'fa (–s, –s), *n.*, couch, sofa.
ſofort' (*adv.*), immediately.
ſogar' (*adv.*), even.
ſogleich' (*adv.*), immediately.
Soh'le (–, –n), *f.*, sole.
Sohn (–es, "e), *m.*, son.
ſolch (*pron. and adj.*), such a.
ſol'len, be obliged, ought, is to.
Som'mer (–s, –), *m.*, summer.
Som'merszeit, *f.*, summertime.
ſon'dern (*conj.*), but.
Son'ne, *f.*, sun.
Sonn'tag (–s, –e), *m.*, Sunday.
ſonſt (*adv.*), else, otherwise.
Spaß (–es, "e), *m.*, joke.
ſpa'ßen, *intr.*, joke.
ſpät (*adj.*), late, tardy.

ſpazie'ren, *intr.*, walk.
Spei'ſe (–, –n), *f.*, food.
ſpie'len, *tr.*, play.
Spiel'kameradin (–, –nen), *f.*, playmate.
Spiel'leute (*pl.*), players.
Spiel'zeug (–s, –e), *n.*, plaything, toy.
Spin'del (–, –n), *f.*, distaff.
ſpin'nen (a, o), *tr.*, spin, purr.
Spitz'e (–, –n), *f.*, top.
ſprech'en (i, a, o), *tr.*, speak.
ſprin'gen (a, u), *intr.*, (*aux.* ſein), spring, run.
Spruch (–es, ¨e), *m.*, saying, sentence.
Spu'le (–, –n), *f.*, spool.
Stadt (–, ¨e), *f.*, city.
Städt'chen (–s, –), *n.*, small city.
Stadtmuſikant' (–en, –en), *m.*, city musician.
Stall (–es, ¨e), *m.*, stable.
ſtark (*adj.; comp.*, ¨er; *sup.*, ¨ſt), strong.
ſtatt (*prep. gen.*), instead of.
ſtatt'*finden (a, u), *intr.*, take place.
ſtech'en (i, a, o), *tr.*, sting, prick.
ſteck'en, *tr.*, set, stick; *intr.*, be hidden.
ſte'hen (ſtand, geſtanden), *intr.*, stand, be found; — bleiben, stop.
ſteh'len (ie, a, o), *tr.*, steal.
ſtei'gen (ie, ie), *intr.*, (*aux.* ſein), climb, mount.
ſtein'hart (*adj.*), hard as stone.
ſtel'len, *tr.*, put, place.
ſter'ben (i, a, o), *intr.*, (*aux.* ſein), die; im Sterben liegen, lie at the point of death.
Stern (–es, –e), *m.*, star.
ſtets (*adv.*), always.
Stich (–es, –e), *m.*, prick.
Stie'fel (–s, –), *m.*, boot.
Stief'mutter (–, ¨), *f.*, step-mother.
Stief'tochter (–, ¨), *f.*, step-daughter.
ſtill (*adj.*), quiet, still.
Stim'me (–, –n), *f.*, voice.
ſtol'pern, *intr.*, stumble.
ſtolz (*adj.*), proud; (*adv.*), proudly.
ſto'ßen (ö, ie, o), *tr.*, push, nudge.
Stra'ße (–, –n), *f.*, street.
ſtreng (*adj.*), stern, severe.
Strick (–es, –e), *m.*, rope.
Stüb'chen (–s, –), *n.*, small room.
Stu'be (–, –n), *f.*, room.
Stück (–es, –e), *n.*, piece.
Stück'chen (–s, –), *n.*, small piece.
Stun'de (–, –n), *f.*, hour.
ſu'chen, *tr.*, seek, look for, try.
Sum'me (–, –n), *f.*, sum.
Sün'de (–, –n), *f.*, sin.
Sup'pe (–, –n), *f.*, soup.
ſüß (*adj.*), sweet.

T

Tag (–es, –e), *m.*, day; eines Tages, one day.
täg'lich (*adj.*), daily; (*adv.*), daily.
Tal (–es, ⁿer), *n.*, valley.
Ta'ler (–s, –), *m.*, coin worth 75 cts.
tat'ſächlich (*adj.*), actual; (*adv.*), actually.
taub (*adj.*), deaf.
Tau'be (–, –n), *f.*, dove, pigeon.
Tau'genichts, *m.*, good-for-nothing.
tau'ſend (*num. adj.*), thousand.
tau'ſendmal, thousand times.
tei'len, *tr.*, share, divide.
Tel'ler (–s, –), *m.*, plate.
teu'er (*adj.*), dear.
tief (*adj.*), deep.
Tie'fe (–, –n), *f.*, depth.
Tier (–es, –e), *n.*, animal.
Tin'te (–, –n), *f.*, ink.
Tiſch (–es, –e), *n.*, table.
Tiſch'tuch (–es, ⁿer), *n.*, table cloth.
Toch'ter (–, ⁿ), *f.*, daughter.
Tod, *m.*, death.
Töpf'chen (–s, –), *n.*, small pot.
Tor (–es, –e), *n.*, gate.
tot (*adj.*), dead.
tot'krank (*adj.*), sick unto death.
tö'ten, *tr.*, kill.
tra'ben, *intr.*, trot.
trä'ge (*adj.*), lazy.
tra'gen (ä, u, a), *tr.*, carry.
Trank (–es, ⁿe), *m.*, drink.
tränk'en, *tr.*, water.
trau'rig (*adj.*), sad.
tref'fen (i, a, o), hit, meet.
Trep'pe (–, –n), *f.*, staircase.
tre'ten (i, a, e), *intr.*, (*aux.* ſein), step, go, enter.
treu (*adj.*), true, faithful.
trink'en (a, u), *tr.*, drink.
trock'en (*adj.*), dry.
Trog (–es, ⁿe), *m.*, trough.
Trög'lein (–s, –), *n.*, small trough.
Trop'fen (–s, –), *m.*, drop.
tröſ'ten, *tr.*, comfort.
trotzdem' (*conj.*), although.
trüb (*adj.*), gloomy, sad.
Trunk (–es), *m.*, drink.
tüch'tig (*adj.*), thorough, capable, hearty.
Tu'gend (–, –en), *f.*, virtue.
tun (tat, getan), *tr.*, do, make.
Tür[e] (–, –[e]n), *f.*, door.
Turm (–es, ⁿe), *m.*, tower.

U

ü'bel (*adj.*), bad, evil; *see* bekommen.
ü'ber (*prep. dat. and acc.*), over, above, beyond.

überall' (*adv.*), everywhere.
übernach'ten, *intr.*, spend the night.
üb'rig (*adj.*), remaining; im üb'rigen, as for the rest.
um (*prep. acc.*), around; — zu, in order to; (*sep. pref.*), around, about.
umher'*fliegen (o, o), *intr.*, (*aux.* sein), fly around.
umher'*gehen (ging, gegangen), *intr.*, go around.
umhin' (*adv.*), not (otherwise), but; ich kann nicht —, I can not help.
um'*kehren, *intr.*, (*aux.* sein), turn back.
um'*sehen (ie, a, e), sich, look around.
umsonst' (*adv.*), in vain.
um'stehend (*part. adj.*), standing around, surrounding.
un'artig (*adj.*), ill-behaved.
un'barmherzig (*adj.*), unmerciful.
unbedingt' (*adj.*), absolute, (*adv.*) absolutely.
und (*conj.*), and; — wenn, and if, even if.
Un'dank (–es), *m.*, ingratitude.
un'dankbar (*adj.*), ungrateful.
un'ehrlich (*adj.*), dishonest, dishonorable.
unermüd'lich (*adj.*), indefatigable.
unerträg'lich (*adj.*), insufferable.
un'geduldig (*adj.*), impatient.
un'gehorsam (*adj.*), disobedient.
Un'getüm (–es, –e), *n.* monster.
un'gezogen (*adj.*), rude; (*adv.*) rudely.
Un'glück (–s, –sfälle), *n.* misfortune.
un'glücklich (*adj.*), unhappy
unmög'lich, impossible.
uns (*pron.*), to *or* for us, us.
un'ser (*pron.*), our, ours.
un'schuldig (*adj.*), innocent.
un'ten (*adv.*), down, below, beneath.
un'ter (*prep. dat. and acc.*), below, under, among.
unterlas'sen (ä, ie, a), *intr.* leave off, discontinue.
unter'*tauchen, *intr.*, plunge, dive.
unterwegs' (*adv.*), on the way.

V

Va'ter (–s, ¨), *m.*, father.
verab'reden, *tr.*, appoint, agree upon.
veran'stalten, *tr.*, arrange.
verber'gen (i, a, o), *tr.*, hide.
verbeu'gen, sich, bow.

Verbeu'gung (–, –en), *f.*, bow.
verbrei'ten, sich, spread, extend.
verbren'nen (verbrannte, verbrannt), *tr.*, burn.
verder'ben (i, a, o), *intr.*, (*aux.* sein), spoil.
verdie'nen, *tr.*, deserve, merit, earn.
verdin'gen, *tr.*, hire out.
verdrie'ßen (o, o), *tr.*, vex.
verdrieß'lich (*adv.*), vexed, angry.
verdun'keln, *tr.*, darken.
verfal'len (ä, verfiel, a), *intr.*, (*aux.* sein), fall away.
verge'hen (verging, vergangen), *intr.*, (*aux.* sein), pass away.
Verge'hen (–s, –), *n.*, fault.
verges'sen (i, a, e), *tr.*, forget.
verhaßt' (*part. adj.*), hated.
verhin'dern, *tr.*, prevent.
verhun'gern, *intr.*, (*aux.* sein), starve to death.
verhü'ten, *tr.*, prevent.
verkau'fen, *tr.*, sell.
verlang'en, *tr.*, desire, demand.
Verlang'en (–s), *n.*, longing, wish.
verlas'sen (ä, ie, a), *tr.*, forsake.
Verle'genheit (–, –en), *f.*, embarrassment.
verlie'ren (o, o), *tr.*, lose.
Verlust' (–es, –e), *m.*, loss.
vermut'lich (*adj.*), probable; (*adv.*), probably.
verra'ten (ä, ie, a), *tr.*, betray.
versam'meln, *tr.*, collect.
verschaf'fen, *tr.*, furnish, procure.
verschämt' (*part. adj.*), bashful; (*adv.*), bashfully.
verschlie'ßen (o, o), *tr.*, close up, lock up.
verschüt'ten, *tr.*, spill.
verschwin'den (a, u), *intr.*, (*aux.* sein), vanish.
Verseh'en (–s, –), *n.*, mistake.
versprech'en (i, a, o), *tr.*, promise.
verstän'dig (*adj.*), sensible, clever.
Versteck' (–es, –e), *n.*, hiding-place.
versteck'en, *tr.*, hide.
verste'hen (verstand, verstanden), *tr.*, understand; du verstehst dich darauf, you know.
verstop'fen, *tr.*, stop up.
Versuch' (–es, –e), *m.*, trial, attempt.
versu'chen, *tr.*, try.
verü'ben, *tr.*, commit.
verwandt' (*part.*), related; der Verwandte, relative.
verwün'schen, *tr.*, curse.
verzwei'felt (*part.*), desperate.
Verzweif'lung, *f.*, despair.

viel (*adj.; comp.*, mehr; *sup.*, meist), much, many.
viel'leicht (*adv.*), perhaps.
vielmehr' (*adv.*), on the contrary.
vier (*num. adj.*), four.
vier'füßig (*adj.*), four-footed.
viert, fourth.
Vo'gel (–s, ¨), *m.*, bird.
Volk (–es, ¨er), *n.*, people, nation.
voll (*adj.*), full.
vol'ler, full of.
vom = von dem.
von (*pref. dat.*), from, by, of.
vor (*prep. acc. and dat.*), before; — sich hin, to one's self; (*adv.*), ago.
vorbei' (*adv.*), by, past, over.
vorbei'*gehen (ging, gegangen), *intr.*, (*aux.* sein), go past.
vor'*führen, *tr.*, lead up.
Vor'haben (–s), *n.*, undertaking.
vor'*kommen (a, o), *intr.*, (*aux.* sein), appear, seem, happen.
Vor'mittag (–s, –e), *m.*, forenoon.
vorn (*adv.*), in front, forward.
Vor'schlag (–es, ¨e), *m.*, proposition.
vor'*schlagen (ä, u, a), *tr.*, propose.
vor'*treten (i, a, e), *intr.*, (*aux.* sein), step, forward.
vor'wärts (*adv.*), forward, on.

W

wach'sen (ä, u, a), *intr.*, (*aux.* sein), grow.
Wäch'ter (–s, –), *m.*, watchman.
Wa'gen (–s, –), *m.*, carriage, wagon.
wa'gen, *tr.*, dare, venture.
wäh'len, *tr.*, choose.
wahr (*adj.*), true.
wäh'rend (*prep. gen.*), during; (*conj*), while.
Wahr'heit (–, –en), *f.*, truth.
wahr'*nehmen (nimmt, nahm, genommen), *tr.*, notice, perceive.
Wald (–es, ¨er), *m.*, forest.
Wald'musikant (–en, –en), *m.*, forest musician.
Wand (–, ¨e), *f.*, wall.
wann, when.
Ware (–, –n), *f.*, ware, goods.
warm (*adj.; comp.*, ¨er; *sup.*, ¨st), warm.
wär'men, *tr.*, warm, heat.
war'ten, *tr.*, wait.
warum' (*inter. adv.*), why.
was (*inter. and rel. pron.*), what, that, why; — für ein, what kind of.

was = etwas, something.
wasch'en (ä, u, a), *tr.*, wash.
Was'ser (s, –), *n.*, water.
weck'en, *tr.*, awaken.
Weg (–es, –e), *m.*, way, path; *see* machen.
weg (*adv.*), away, off.
weg'*nehmen (nimmt, a, genommen), *tr.*, take away.
weg'*rollen, *intr.*, roll away.
Weh, *n.*, pain, anguish; weh tun, hurt; o weh! alas!
we'hen, *intr.*, blow.
wei'den, *tr.*, pasture.
weil (*conj.*), because.
Wei'le, *f.*, while; Eile mit —, the more haste the less speed; make haste slowly; haste makes waste.
Weil'chen (–s), *n.*, a little while.
wei'len, *intr.*, tarry.
Wein (–es –e), *m.*, wine.
wei'nen, *intr.*, weep.
wei'se (*adj.*), wise.
Wei'se (–, –n), *f.*, manner, tune.
Weis'heit, *f.*, wisdom.
weiß (*adj.*), white.
weit (*adj.*), broad, wide, far; — und breit, far and wide; bei wei'tem, by far; ohne wei'teres, without any further ado, offhand, without ceremony.
wei'ter (*adv.*), on further; — nichts, nothing else.
welch (*pron. and adj.*), who, which, what, that.
Welt (–, –en), *f.*, world; zur — bringen, bring into the world.
we'nig (*adj.*), little; *pl.*, few; ein wenig, a little.
we'nigstens, at least.
wenn (*conj.*), when, whenever, if; — auch noch so gut, no matter how well.
wer (*pron.*), who, whoever, he who.
wer'den (i, ward *or* wurde, o), *intr.*, (*aux.* sein), become, get, turn; mir wird, I begin to feel.
wer'fen (i, a, o), *tr.*, throw.
wert (*adj.*), worth.
Wet'ter (–s, –), *n.*, weather.
wetz'en, *tr.*, whet.
wich'tig (*adj.*), important.
wi'derlich (*adj.*), disgusting.
wie (*conj. and adv.*), while, when, as, like, how?
wieso' (*adv.*), how so.
wie'der (*adv. and sep. pref.*), back, again.
wiederho'len, *tr.*, repeat.
wie'dersehen, *tr.*, see again.
Wie'se (–, –n), *f.*, meadow.
wil'lig (*adj.*), willing, ready.
Wind (–es, –e), *m.*, wind.
Win'kel (–s, –), *m.*, corner.
wink'en, *intr.*, beckon.
Win'ter (–s, –), *m.*, winter.

wir (*pron.*), we.
wirk'lich (*adj.*), real, actual.
Wirt'schaft (–, –en), *f.*, inn.
wis'sen (weiß, wußte, gewußt), *tr.*, know.
Wit'we (–, –n), *f.*, widow.
Wit'wer (–s, –), *m.*, widower.
wo (*pron. and adv.*), where, wherever.
woher' (*adv.*), whence, from where.
wohin' (*adv.*), whither.
wohl (*adv.*), well, I suppose, of course.
woh'nen, *intr.*, dwell.
Woh'nung (–, –en), *f.*, dwelling.
Wolf (–es, ¨e), *m.*, wolf.
wol'len, be willing, wish, be on the point of.
woran', whereon, of what.
worauf' (*adv.*), whereupon.
woraus' (*adv.*), from where.
worin' (*adv.*), wherein, in what.
Wort (–es, –e *or* ¨er), *n.*, word.
wun'derbar (*adj.*), wonderful.
Wun'dergabe (–, –n), *f.*, wonderful gift.
wun'derlich (*adj.*), wonderful, strange.
wun'dern, sich, wonder, be surprised.
wun'derschön (*adj.*), wondrously fair.
Wunsch (–es, ¨e), *m.*, wish.
wün'schen, *tr.*, wish.

Z

zäh'len, *tr.*, count.
zahl'reich (*adj.*), numerous.
Zahn (–es, ¨e), *m.*, tooth.
Zaun (–es, ¨e), *m.*, hedge.
Zaun'könig (–s, –e), *m.*, wren.
Ze'he (–, –n), *f.*, toe.
zehn (*num. adj.*), ten.
Zei'chen (–s, –), *n.*, sign.
zei'gen, *tr.*, point, show.
Zeit (–, –en), *f.*, time; eine — lang, for a while.
zerbrech'en (i, a, o), *tr.*, break into pieces.
zertre'ten (i, a, e), *tr.*, crush.
zie'hen (zog, gezogen), *tr.*, draw, pull; *intr.*, (*aux.* sein), go, march, pass; *see* Höhe.
ziem'lich (*adv.*), rather, tolerably.
Zim'mer (–s, –), *n.*, room.
zit'tern, *intr.*, tremble.
zor'nig (*adj.*), angry; (*adv.*), angrily.
zu (*prep. dat. and sep. pref.*), to, towards, at; (*conj.*), to, in order to; (*adv.*), too, shut; — Tische, at dinner or supper; — Fuß, on foot; zum Fenster hinaus sehen, look out of the window.

zuck'en, *intr. and tr.*, twitch, shrug.
zufrie'den (*adj.*), content, satisfied. [ment.
Zufrie'denheit, *f.*, content-
Zug (-es, ⁻e), *m.*, pull, draught, train.
zuletzt' (*adv.*), at last.
zum = zu dem.
zu'*machen, *tr.*, close.
zumal', especially.
zu'*nicken, *intr.*, nod to.
zur = zu der.
zurück' (*adv.*), back.
zurück'*kehren, *intr.*, (*aux.* ſein), return.
zu'*rufen (ie, u), call to.
zuſam'men (*adv.*), together. [gether.
zuſam'menlegen, *tr.*, put to-
zu'*ſchlagen (ä, u, a), *tr.*, bang.
zu'*ſchließen (o, o), *tr.*, lock up.
zu'*ſprechen (i, a, o), (*dat.*), encourage.
zu'*tragen (ä, u, a), ſich, happen; es trug ſich zu, it happened.
zuwei'len (*adv.*), sometimes.
zu'*wenden (wandte, gewandt), *tr.*, turn to.
zu'*werfen (i, a, o), *tr.*, throw, slam.
zwar (*adv.*), indeed, moreover, in fact.
zwei (*num. adj.*), two.
zweit (*adj.*), second.
zwei'tens (*adv.*), secondly.
zwiſch'en (*prep. dat. or acc.*), between.
zwölf (*num. adj.*), twelve.